O sorriso da morte

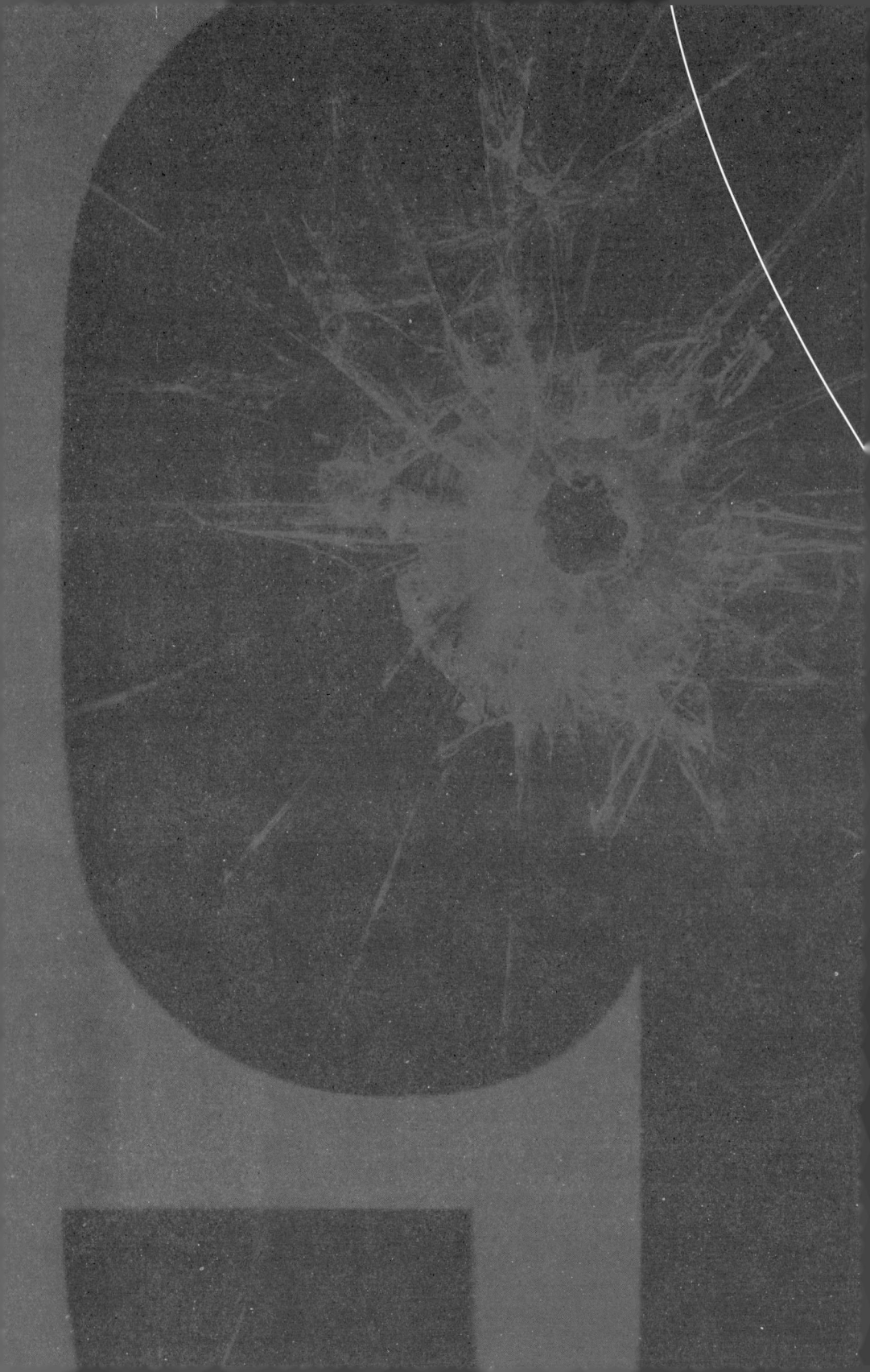

O sorriso da morte • Ricardo Tiezzi

GERAÇÃO EDITORIAL

O SORRISO DA MORTE
Copyright © 2009 by Ricardo Tiezzi
1ª edição — abril de 2009

Editor e Publisher
Luiz Fernando Emediato

Diretora Editorial
Fernanda Emediato

Capa
Alan Maia

Projeto gráfico
Genildo Santana/ Lumiar Design

Preparação de texto
Josias A. Andrade

Revisão
Gabriel Senador Kwak

DADOS INTERNACIONAIS DE CATALOGAÇÃO NA PUBLICAÇÃO (CIP)
(Câmara Brasileira do Livro, SP, Brasil)

Tiezzi, Ricardo
O sorriso da morte / Ricardo Tiezzi. --
São Paulo : Geração Editorial, 2009. --
(Coleção 9mm São Paulo)

ISBN 978-85-61501-19-8

1. Romance brasileiro I. Título. II. Série.

09-01978   CDD-869.93

Índices para catálogo sistemático
1. Romances : Literatura brasileira 869.93

**GERAÇÃO EDITORIAL
ADMINISTRAÇÃO E VENDAS**
Rua Pedra Bonita, 870
CEP: 30430-390 — Belo Horizonte — MG
Telefax: (31) 3379-0620
Email: leitura@editoraleitura.com.br

EDITORIAL
Rua Major Quedinho, 111 — 7º andar - cj. 702
CEP: 01050-030 — São Paulo — SP
Tel.: (11) 3256-4444 — Fax: (11) 3257-6373
Email: producao.editorial@terra.com.br
www.geracaoeditorial.com.br

2009

Impresso no Brasil
Printed in Brazil

Ao meu pai,
que não permitia que faltassem livros em casa.

SUMÁRIO

Parte I — A última dança...9
1. Pinta..11
2. Semente...21
3. Véu...23
4. Fechadura...29

Parte II — Conhecer a vítima é conhecer o assassino...........35
5. Manchete..37
6. Gravata...45
7. Flecha..49
8. Criança...55
9. Poeira..61
10. Justiça..65
11. Torneira...71
12. Branco...79
13. Salto..85
14. Crista...89
15. Sentença...93
16. Zíper...103
17. Sangue..113
18. Persiana..119

Parte III — No fim das contas, a vida é sexo e violência..................125
  19. Astro..................127
  20. Controle..................131
  21. Círculo..................135
  22. Tempo..................141
  23. Porta..................145
  24. Leite..................149
  25. Tubarão..................155
  26. Células..................161
  27. Amor..................173
  28. Assassinos..................179

PARTE I

A ÚLTIMA DANÇA

1. Pinta

A noite fria de sábado convidava para um dia dos namorados que terminasse debaixo das cobertas. Gabriel imaginava que adolescentes como ele naquela hora deveriam estar agarrando sua garota num carro de vidros embaçados. Ou estariam em turma, mergulhando morangos na panela de *fondue*, enquanto tentariam piadas de intenções sexuais na esperança de as meninas embarcarem em brincadeiras avançadas.

Naquela noite especificamente, Gabriel não os invejava. Havia preparado o sábado — o seu sábado — havia pelo menos seis semanas, quando vira o cartaz. Desde então aguardava, ansioso, pelo dia do seu programa íntimo e solitário. Quando saiu de casa em direção à boate, a mãe, que assistia sem interesse a um programa de auditório, estranhou o filho anunciar que iria sair com os amigos. Gabriel não tinha amigos. O pai pediu juízo sem levantar os olhos do tabuleiro de xadrez, entretido em uma boa jogada que armara contra si mesmo.

Semanas antes, da janela do ônibus havia visto o cartaz que anunciava: Noite do Delírio — *show* com Aline Vega. Engrossando a voz, Gabriel ligou para a boate Semelle's tão logo chegou em casa, perguntando se era a mesma Aline Vega que num passado distante era a estrelinha mirim mais adorada pelas crianças e por suas mães, com sua sinceridade desconcertante diante das câmeras, a Aline Vega que gravara discos com sua voz aguda, mas afinada, a garotinha prodígio, estrela de comerciais, a filha que toda família gostaria de ter. Chegou a ter um programa só seu, cancelado depois que a audiência não decolou. Aline Vega padeceu da maldição das pessoas que brilham precocemente. A infância não é eterna. Inevitavelmente chega a hora em que a menina sobe de categoria. Os empresários souberam redimensionar sua carreira, fazendo-a vocalista principal do conjunto Tatibitate, para adolescentes grudarem as suas fotos nos seus diários. Na terceira etapa de maturação, entretanto, o fenômeno já tinha se esgotado. Aline Vega era mulher, tinha de se desapegar das saias plissadas e das sandálias melissinha. A tragédia é que a graça da inocência tinha ficado para trás. Aline Vega cresceu ainda bonita, mas na categoria das mulheres deslumbrantes era apenas mais uma. Num gesto arriscado, ainda posou para uma revista masculina, que teve uma vendagem razoável. Sua beleza discreta foi atropelada pela explosão de silicones, barrigas perfeitas, pernas musculosas e mulheres padronizadas. Estudou para ser atriz de verdade, mas como um furacão, foi perdendo força. Uma ponta aqui, outra ali, até ser relegada a notinhas de jornal, quase sempre para dizer que ela engordara, terminara um namoro ou perdera um filho antes que a gravidez completasse dois meses.

Gabriel gostava de se sentir o único que continuava caçando informações sobre Aline. Sua paixão não era passageira. Mesmo nos tempos da fama, ele não era somente um fã entusiasmado. Enquanto seus colegas de colégio comentavam as fotos na revista masculina, Gabriel se comovia com qualquer coisa triste no olhar da estrela. Só ele percebia fragilidade em cada foto, em cada entrevista, por isso se sentia o único capaz de acolhê-la.

Agora estava ali, a poucos minutos de contemplá-la frente a frente, num ambiente para poucos eleitos. Já tinha visto Aline de perto uma vez, quando ela era adolescente e ele apenas um garoto descobrindo o desejo, mas no empurra-empurra da multidão nem conseguira tocá-la. A Semelle's era o bordel de alto luxo na noite paulistana. Na noite do delírio, uma plateia de uns cinquenta bem vestidos aguardavam na penumbra do ambiente. Um quadro logo na entrada mostrava uma moça nua e assustada, desfalecida no colo de um sujeito gigante. Uma placa ao lado explicava que Semele era a paixão de Júpiter, e ela um dia inventou que queria ver a cara de Deus. Júpiter atendeu; quem pode negar os caprichos femininos? Só que ver Deus não é para qualquer um, e Semele morreu apavorada. A placa só não explicava de onde saíram o apóstrofo e o *l* duplo do nome da boate. Nem o que aquilo tudo tinha a ver com pornografia.

Na mesa do canto, Gabriel especulava se o *show* seria de *strip tease*. No telefone ficou nervoso por fazer tantas perguntas, e o máximo que conseguira foi que se tratava de um espetáculo sensual. Achou improvável que Aline Vega tiraria a roupa para aquela gente rica e vulgar. Mais provável que fosse alguma dança sensual com música de duplo sentido — mais uma tentativa da artista de remodelar sua carreira.

A meia-luz preocupava Gabriel, já que o palco redondo estava distante. Tomava seu refrigerante em goles curtos, pois deixara quase todo o dinheiro na entrada; grana alta, o suficiente para o pai sentir falta na carteira. No lugar que sobrara para ele o ângulo de visão era fraco. Complicava o fato de estar com a vista embaçada.

Naquela tarde tinha lido num jornal largado na sala que alguns temperos caseiros têm propriedades alucinógenas. Cresce o número de jovens que usam sálvia ou alecrim para se drogarem, dizia a reportagem. Como todo dinheiro havia sido economizado para Aline Vega, e a maconha escondida no fundo falso de uma caixa de tênis tinha virado farelo, Gabriel resolveu assaltar a despensa. Não sabia como fumar alecrim, o jornal não explicava. Resolveu enrolar num papel de seda e fumar como maconha, prendendo o quanto pudesse nos pulmões, para garantir. Ficou longe de ser um cigarro perfeito, o alecrim não tem consistência. Por isso o ato foi todo atrapalhado, com o tempero caindo pela calçada ou entrando pela sua garganta, provocando tosse. A parte pior foi perambular à espera dos efeitos que não apareciam. Resolveu fumar mais outro, e mais outro, em cigarros cada vez mais improvisados. Uma nova droga sempre traz a expectativa dos seus efeitos, e Gabriel observava em volta à espera de ver cones coloridos flutuando no ar ou máscaras trágicas no lugar do rosto das pessoas.

Nada disso aconteceu. Os efeitos que sentia na boate, a poucos minutos de acompanhar o evento de sua vida, era dor de cabeça irritante e vista turva. O garçom voltou de novo para perguntar o que ele ia querer. Gabriel não entendeu de cara, depois disse que não queria nada, apontando o copo ainda cheio. O garçom fechou de novo a cara, como uma advertência de que adolescentes que não consomem estão no lugar errado.

Enquanto a perna esquerda denunciava a ansiedade balançando sem parar, Gabriel procurou distração sondando o ambiente. À primeira vista, achou todos uns infelizes. Por que diabo esses caras vêm se esconder aqui num sábado à noite? Umas duas mesas à frente, o típico solitário: um sujeito gordo de terno escuro, cujos dedos enfiados no copo de uísque mexiam no gelo fazendo um *tlic, tlic, tlic* que foi deixando Gabriel cada vez mais angustiado. O sujeito tinha uma testa rugosa e largas entradas. E um ar de desinteresse de quem apenas aguarda por uma morte inútil.

Mais à direita um tipo com barba por fazer escrevia num caderninho. Gabriel odiava esses artistas à procura de inspiração. Fazia o tipo *blasé*, que em meia hora de conversa iria destilar ressalvas contra a humanidade. Quando o artista levantou a cabeça, percebeu o adolescente que o encarava. Gabriel logo baixou a cabeça.

Depois, sua atenção se voltou para dois caras ruidosos. Os dois tinham entre 35 e 40 anos, mas pareciam eles os adolescentes do lugar. Riam alto, bebiam goles longos e mexiam com as putas sofisticadas que circulavam pelas mesas com seus melhores sorrisos e decotes. As moças distribuíam olhares que faziam o agraciado se sentir o mais desejado dos homens. Gabriel estava lá havia quarenta minutos e ainda não havia sido contemplado. Adolescente com refrigerante é um sinal forte demais para elas perderem tempo. Um dos caras barulhentos, dono de um cabelo ensebado e de um nariz exagerado, chamou uma mulata esguia com uma piada grosseira e sem graça. Depois cutucou o colega apontando para uma mesa quase em frente à deles. Pareciam alunos tentando ver a calcinha da professora. Gabriel se divertiu com o apelido que inventou para eles: os dois patetas. Na mesa em frente, uma mulher elegante tinha uma fenda lateral no vestido que deixava à mostra pernas generosas. Nem parecia prostituta, era do estilo coroa enxuta e refinada. Talvez um fetiche qualquer, porque do seu lado estava um cara alto, bonitão, largo, com uma cabeleira lisa dividida rigorosamente ao meio. O cara tinha pinta de jogador de vôlei, e mantinha os olhos grudados na mulher enquanto acarinhava os ombros com a ponta dos dedos. O tipo de cara que sabe que está agradando. A mulher, de quando em quando, ria tentando ser discreta, e volta e meia apertava as pernas uma contra a outra. Do seu ângulo, Gabriel viu que a outra mão do jogador de vôlei apertava as coxas da mulher, com as mãos já bem avançadas para dentro do vestido.

Um sujeito de *jeans* surrado e jaqueta de couro subiu ao palco. Num uniforme, passaria pelo cara que vende cachorro-quente quase em frente à boate. Mas pelo papo pareceu ser o dono do pedaço.

— Muito boa noite, damas e cavalheiros. Meu nome é Silas Baroni, e como mestre-de-cerimônias gostaria de dizer que esta noite será inesquecível. Hoje teremos uma noite de desejo e delírio aqui no Semelle's, um lugar onde todas as fantasias se realizam.

O figurão emendou um discurso enorme. Gabriel sentiu umas circunvoluções estranhas no estômago. Atrás dele, algo o pressionava contra a mesa. Primeiro ele achou que fosse a viagem provocada pelo alecrim, depois descobriu que um garotão marombado que vestia *jeans* rasgado, um colete ridículo e mais nada, tentava passar espremido entre a parede e a cadeira, daí o empurrão. Depois de feita a manobra, o marombado nem pediu desculpas.

— ... esta noite um momento único, marcante. O sonho se materializa na beleza da carne, em formas que todos nós tanto desejamos... — o mestre-de-cerimônias seguia, de microfone na mão no estilo político, cuja plataforma de campanha era o sexo. O cidadão tinha cabelo só ao redor da cabeça, mas em cima alguns poucos fios resistentes, que ele não cortava talvez para continuar achando que não era careca.

A mesa do jogador de vôlei estava agora mais ousada. Aproveitando a distração ao redor, ele já colocava as mãos em concha entre as pernas da mulher. Ela respondia apertando mais as pernas. O de terno preto bebeu o uísque de um gole, e com um gesto para o garçom, providenciou outro. O fortão do colete assistia, mal encarado, encostado a uma pilastra. O do caderninho escrevia, certamente alguma coisa melhor que o blablablá que vinha da caixa de som. Gabriel achou que de quando em quando ele lhe lançava olhares hostis, mas podia ser alucinação, não tinha certeza.

— O sexo é a verdadeira liberdade. Nossa revolução não é a da política, das ideologias, das passeatas. O muro ainda não caiu, meus amigos. A gente pode ver violência na tevê todos os dias, mas por que não pode ver uma cena de sexo com penetração?

Esticando um pouco o pescoço para o lado, Gabriel quase podia ver os seios da mulher bolinada. O vestido deixava as costas nuas, e na frente cobria os bicos e pouca coisa mais. Os dois patetas continuavam sua masturbação visual, de olho para ver se a mulher iria ter um orgasmo enquanto tentavam manter a atenção no palco.

— A menina virou mulher. Nossa estrela de hoje já habitou os sonhos dos pedófilos. Já fez muita gente pensar em suicídio. Hoje é esse vulcão de sensualidade, essa Vênus despudorada, essa Afrodite provocante. Eu garanto que nesta noite vocês vão sonhar. Só não posso fazer por vocês quando chegarem em casa e terem de encarar a esposa.

Risos na plateia. A mulher do decote com um *timing* afiado aproveitou o barulho para gemer alto. O garçom trouxe o uísque do freguês e o *tlic tlic tlic* recomeçou. Luzes coloridas se acenderam, deixando Gabriel confuso por um instante. O escritor parecia aborrecido com o barulho e o falatório. O de colete trocava olhares com uma mulher acompanhada numa mesa no centro.

— O Semelle's traz pra vocês o primeiro *show* realmente erótico da monumental Aline Vega. Apreciem sem moderação. Aline Vega, o palco é seu.

Ela entrou no palco vestindo um sobretudo que ia até os tornozelos, um chapéu preto. O rosto clássico, de linhas elegantes, os olhos de amêndoas de uma ascendência oriental distante. A música não havia entrado, o silêncio era quebrado por tilintares de copos, a bandeja do garçom, um cliente que pigarreia. Aline encarou a plateia, tentou sentir-se poderosa. O excesso de luz jogado sobre o palco a desorientou. É apenas uma dança, pensou, e vai ser a última.

Gabriel se remexeu na cadeira. Ainda era ela, mesmo sem milhares de câmeras, mesmo no palco de uma boate. Sentiu-se tonto de paixão e de alecrim. A música começou suave, cantada por uma voz rouca e sofisticada. Um perfil e a luz só no seu rosto, agora mais suave. O jogo de sombras favorecia as maçãs do rosto. O mundo foi injusto com Aline Vega. Era um mito decaído, deveria estar numa tela de cinema, exibindo beleza em proporções gigantescas. Lábios, muitos lábios. Gabriel tinha várias imagens guardadas daquela boca, ampliadas, em *close*. Aline Vega dançava segurando o sobretudo pela gola, ameaçando abri-lo. Ainda era capaz de silenciar uma plateia.

O maldito garçom serviu o gordo de terno preto e atrapalhou a visão. Aline desafiava os senhores da primeira mesa com seus olhos provocantes e tristes. O artista incompreendido agora tomava suas notas ansioso, na dúvida se deveria tirar os olhos do espetáculo. Num acorde mais potente, Aline arrancou o sobretudo. A combinação branca contrastava com a pele morena. Uma cinta-liga dava um toque sedutor, Aline inspirou-se na *pin up* que enfeitava sua geladeira. O jogador de vôlei fez um comentário qualquer; sua companheira de esfregação respondeu com cara de desdém. Gabriel tentou se concentrar ao máximo, num esforço para reter aqueles instantes para o resto da vida. Aline Vega estava seminua a poucos metros de distância, mas sua mente flutuava como se passeasse de jangada.

A ex-estrela mirim dançava bem desde novinha. Agora, a dança era desinibida. Desde criança, seduzir era automático. Ela virou-se de costas. Gostava dos seus ombros vistos de trás, mas podia apostar um apartamento que todos estavam vidrados em outra parte de sua anatomia. Quando posou nua, a pergunta que mais lhe fizeram era sobre a parte do corpo preferida, e ela respondia: os ombros. Emendava que gostava do seu olhar, capaz de interpretar qualquer personagem. Seu público, no entanto, tinha uma visão mais limitada dos seus talentos.

Por isso, o senso de injustiça se abateu sobre Gabriel. O único que tinha sensibilidade para a grandeza da artista só conseguia acompanhar o espetáculo entre cabeças que entravam no seu raio de visão, passagens do garçom, clientes que se levantavam, assovios, luz fraca e uma náusea que se assemelhava a uma tempestade que chega em péssima hora. Tudo o que o fã número um conseguia acompanhar eram partes do corpo da dançarina, que se contorciam voluptuosas. A adrenalina jorrou nas veias do garoto quando ele se levantou. Sentiu vertigem. A falta de um relógio caro no pulso não dava àquelas pessoas o direto de o relegarem à última fila. Resoluto, caminhou por entre as mesas, esbarrando aqui e ali, e teve mesmo que quase empurrar o cara do colete, que estava no caminho. O pensamento era confuso, mas resoluto. Gabriel sabia agora que amava Aline e que ela era o bálsamo para sua miséria. Ele notou que o careca metido a orador olhou atravessado a sua movimentação, que provocava burburinho e desconforto na sua estimada clientela. Alheia a tudo, no palco Aline Vega desabotoava o sutiã num gestual clichê, mas funcional. De costas ela arrancou a peça e deixou-a cair delicadamente de lado. Quando se virou, as mãos seguravam os seios e a plateia ovacionou.

Quando passou pelo gordo solitário do uísque, viu que de perto o cara era um ser catatônico de aspecto bovino. Ao cara do caderninho, pensou em sugerir umas palavras de adoração sobre Aline Vega. Os dois patetas chiaram quando Gabriel tropeçou na mesa deles e derrubou a cerveja.

Agora ele podia se agachar à beira do palco e ver de perto a pinta que Aline Vega tinha na parte interna da coxa esquerda. A pinta que tinha sido o mote para o *slogan* do *outdoor*, quando ela posou pela primeira vez para uma revista masculina. Uma pinta pequena, discreta, mas tão bem localizada, que parecia separar a humanidade entre os escolhidos — os que tiveram o privilégio de ter tocado a pinta um dia — e a massa anônima dos desprivilegiados.

As mãos de Aline Vega foram escorrendo pelo corpo devagar, sádica, deixando os seios saltarem aos poucos. A libido coletiva a essa altura tinha energia para acender uma lâmpada. Os seios eram grandes e orgulhosamente naturais, com uns bicos arrepiados e de um vermelho vivo que ocupavam boa parte da pele. O careca cortou o clima com um grito de animador de auditório. Aline dançou de frente, de costas, desabotoou a cinta, abaixou as meias. Não havia mais dúvidas, ela iria ficar nua. Gabriel acomodou-se aos pés da amada com o coração aos pulos; a pinta de Aline Vega quase a ponto de hipnotizá-lo.

As pernas, tão próximas, davam quase uma sensação tátil, as mãos escorrendo macias, pelos joelhos, depois subindo, as coxas, a cintura, o umbigo profundo, a barriga. A estrela virou-se de costas. A luz diminuiu junto com a música. O contorno dos ombros, o cabelo grudado na nuca, tudo agora tão real. Com as mãos trêmulas, Gabriel pensou que Aline repararia em sua presença. Ela agora de frente, com ar agressivo, segurou as tiras laterais da calcinha. Às suas costas Gabriel sentia que o dono do lugar o expulsaria se isso não fosse atrapalhar o *show*. Tarde demais. Aline expôs por completo a sua nudez, a calcinha descendo pelos joelhos, e Gabriel tão próximo, sentindo-se como se estivesse a sós com ela numa lua-de-mel. Diferente das fotos da revista, ela não estava depilada. Uma visão de fartura e indecência. A emoção provocava no adolescente sintomas físicos, mas ele prometeu a si mesmo se controlar. Resoluto, manteve o olhar no rosto dela, para que tão logo ela olhasse em sua direção eles tivessem um contato. Ele passaria a ser alguém. A *stripper* sentou-se à beira do palco e cruzou as pernas de forma provocante, num gesto largo e despudorado. A música chegava aos últimos acordes.

Aline olhou para Gabriel. Ele cruzou os olhos com os dela. Uma contração no peito e ele teve de levar as mãos à boca. Tarde demais para se controlar. O vômito jorrou na beira do palco, respingando na primeira fila e nos pés de Aline Vega.

2. Semente

No conforto de um quarto vazio, Gabriel respirava fundo. Mal sabia como chegou ali, tudo foi rodopiando em sua cabeça com o pisca-pisca de luz da boate, que anunciava o fim do *show* de Aline enquanto ele saía correndo com a mão tampando a boca. Só lembra que pegou um corredor, e depois mais outro, e que tentava abrir as portas que encontrava na esperança de encontrar um banheiro. Encontrou uma escada em espiral, que subiu de dois em dois degraus. Deu de cara com um amplo salão, que à meia-luz parecia a sala de estar de uma mansão, com um lustre enorme no centro. Na primeira porta deu sorte, estava aberta. Ao ver o quarto silencioso o enjoo diminuiu. Restou apenas a vergonha pelo vexame. O ambiente era convidativo, com cama de casal, abajur, uma cortininha vermelha. Gabriel precisava respirar e colocar as ideias em ordem.

A última imagem que ficou foi a expressão de susto e asco de sua adorada. Mais não pôde ver porque teve de sair correndo, e teve mesmo a impressão de que os dois patetas tinham vindo na sua cola. Olhou em volta para pensar em outra coisa. Uns quadrinhos na parede tinham desenhos que Gabriel não sabia se achava eróticos ou engraçados. Em todos eles um casal de japoneses, ela deitada em um tatame ou empinada numa poltrona, enquanto o japonês com cara de contente a penetrava. Em um dos desenhos a japonesa fazia cara de dor, enquanto o japonês vinha por trás puxando seu cabelo em coque. Noutra, ele se humilhava, comendo sementes do chão que ela jogava — se comesse toda a trilha de sementes, chegaria na vagina oferecida da japonesa.

Na outra parede uma foto enorme, que devia ter quase um metro de altura por meio metro de comprimento. A imagem era de uma vagina, mas em um close tão próximo, que chegava a dar uma sensação esquisita. Parecia uma lesma, ou algo assim. Os lábios eram grandes e a vagina era completamente raspada. A nitidez era tanta, que dava para ver os poros de onde os pelos tinham sido arrancados.

    Quando abriu a cortininha vermelha, notou que um vidro dava para o salão pelo qual ele passara. As luzes do salão estavam apagadas, o ambiente era iluminado pela luz dos postes da rua. Por isso Gabriel teve de apoiar o rosto no vidro e cercar os olhos para ver melhor do outro lado. Parecia mesmo a sala de uma mansão. Um grande sofá fazia uma curva na sala, de frente para um gigantesco telão de tevê. Em outro canto, poltronas confortáveis que dava para esticar o pé. O lustre descia majestoso pelo teto, cheio de cristais e penduricalhos. Algumas colunas de mármore davam um ar meio exótico ao lugar. Nas paredes quadros em molduras sóbrias exibiam fotos ou pinturas eróticas. Sacanagem com sofisticação. Havia ainda algumas mesas de *snooker* com pano vermelho e uma longa mesa retangular com uma roleta bem ao centro. Os tapetes orientais espessos estavam gastos aqui e ali.

    Gabriel perguntava-se que lugar era aquele quando uma luz se acendeu no salão. Tarde demais para se esconder. Do outro lado do vidro, o pateta de nariz grande olhava fixo para ele enquanto mexia no cabelo.

3. Véu

Por mais que tentasse, Ramón não conseguia ajeitar a franja do jeito que gostaria. Ele tinha visto um cara de cabelo comprido numa revista e queria ficar igual, mas sua franja tinha fios espessos e desalinhados. Ramón perdia bastante tempo com o visual em frente ao espelho. Gostaria de ser mais alto, arrumar a postura, talvez devesse consertar os dentes. Pelo espelho do salão nobre do Semelle's viu Cesinha se aproximar e roçar o bigode na sua orelha, outra de suas brincadeiras estúpidas.

— Se produzindo para mim, princesa?

— Fica na tua, otário. O chefe já subiu? — Ramón parou o que estava fazendo.

— Não, mas os convidados estão vindo aí. Olha ali o cara que você acha bonito. Ele quase comeu a loirona lá embaixo mesmo. Vai lá, joga um papo.

Ramón respondeu com uma expressão contrariada e os dois foram recepcionar os convidados.

Do outro lado do vidro, Gabriel respirou aliviado quando enfim os dois patetas deram as costas para ele e foram em outra direção. Algumas pessoas que estavam no andar de baixo agora ocupavam o enorme salão. Uns se ajeitavam nas poltronas, outros iam se servindo das bebidas que umas garçonetes de salto alto e roupinha de empregada serviam. O jogador de vôlei foi o primeiro a chegar, e a primeira coisa que fez foi pedir à sua acompanhante que trocasse um beijo com uma das garçonetes.

O coração de Gabriel voltou a bater em ritmo cadenciado. O medo de ser flagrado se misturava com a excitação de poder observar a festa particular sem ser visto. O salão estava rodeado de portas como a que ele entrou; cada uma devia dar num quarto como o que ele estava. Era improvável que bem o seu fosse agraciado com a visita de algum convidado. Antes que pudesse formular para si a pergunta — será que Aline é convidada? — ele a viu chegar, séria e linda. Todos os olhares se voltaram para ela, mas a entrada esteve longe de ser triunfal. Aline Vega sorria, um sorriso tão forçado, que mesmo alguém desprovido de percepção notaria.

O anfitrião da noite, no entanto, ignorava o desconforto de sua convidada de honra. Baroni trazia Aline segurando seu braço como se carregasse um troféu. Mesmo a calvície e o desleixo não impediam que ele se sentisse um puro-sangue, um homem destinado às grandes conquistas. Baroni saudava a todos com voz potente, para mostrar quem é que mandava ali. Não aceitou a recusa de Aline Vega à taça de champanhe que ele lhe pôs nas mãos, e fez questão de dar um beijo em seu rosto depois do brinde. Uma boca áspera e bem treinada em falar bobagens; Aline começou a pensar num jeito de ir embora sem causar melindre. Mesmo assustada, parecia descontraída, acostumada aos homens olharem para ela como bichos.

Um bicho enjaulado, era como Gabriel se sentia confinado no seu espaço, impotente para proteger a mulher que amava. Observá-la vulnerável dava a ele a sensação de serem mais íntimos do que nunca. Se criasse coragem, sairia por aquela porta, tomaria Aline Vega pelas mãos e a levaria para dar um passeio pela noite, enfrentando quem se impusesse no seu caminho.

Do lado de fora, Baroni fazia gestos para seus convidados, sem que ela percebesse. Gestos de quem ia despi-la.

— Posso guardar o seu casaco?

Aline Vega deixou o casaco escorrer pelos ombros. Baroni pediu que Cesinha o guardasse. Aline vestia uma blusinha branca com estampa de lantejoulas e uma saia preta curta, apertada nas pernas. O salto alto a deixava mais esguia. Outro champanhe chegou às suas mãos. Precisava receber o cachê antes de ir para casa.

Um brinde foi levantado em sua homenagem. Baroni a tratou por "deusa de carne e osso", que perturbava os instintos de seus "humildes criados". Garantiu que a bebida tinha sido trazida da Freitas para a ocasião. O mármore — e o sujeito do caderninho tomou notas — vinha direto da cidade italiana de Carrara. Porque esses mármores que têm por aí não são de Carrara coisa nenhuma, justificou.

— As pessoas só me conhecem como empresário da noite, mas eu tenho duas fazendas com quatrocentas cabeças de boi. Comecei vendendo loteria.

Sem intimidade nem paciência para conversar com alguém, o gordo de terno azul escolheu um canto para analisar as pessoas. E para ter um ângulo favorável de onde apreciar Aline Vega. Quando o garçom passou, ele terminou de um gole o uísque que bebia para poder pegar outro. Não gostava da megalomania do dono da casa. Não gostava dos outros convidados. As coisas tinham de ser feitas com discrição.

De longe o cara do colete levantou a taça para Aline, com um sorriso cínico. Ela não retribuiu o gesto. O jogador de vôlei abordou a estrela, simpático. Ramón viu de longe e considerou que aquele seria o único homem capaz de conquistar Aline Vega sem ser pelo dinheiro. Cesinha interrompeu sua meditação.

— Será que o chefe põe a gostosa na roda?

— Talvez, mas a gente não está na roda.

— Melhor garantir na bebida então — concluiu Cesinha, entornando a taça de champanhe de uma vez.

Era agir ou se acovardar. Gabriel andava de um lado para outro juntando forças para tomar uma atitude. Os convidados já se sentiam íntimos de Aline Vega, primeiro aproximando-se timidamente para puxar assunto; depois, com a autoestima reforçada pela bebida e pela conta bancária, arriscavam tocar a estrela de forma pretensamente sedutora. Silas Baroni era o *expert* desse gênero de canalhice. Sua feição grotesca agora aproximava-se da beleza do rosto de Aline, falando tão de perto, que provocava repugnância com seu hálito fétido de tanto falar merda. Aline Vega tencionava se afastar, mas Baroni a prendia pela cintura. A roda ao seu redor era cada vez mais densa.

A espécie de reunião informal durou longos minutos. A ansiedade de Gabriel atingia o limite, pois não conseguia mais distinguir a namorada dos seus sonhos noturnos por entre cabeças e ombros com caspa que bloqueavam seu raio de visão.

— Não vale dizer que sua mãe está esperando. Aqui tem muitos depravados, mas nenhum ingênuo — foi a frase que Baroni dirigiu a Aline, que arrancou risadas forçadas. Depois, pedindo um brinde, anunciou que a noite mal começara. Aline passava a mão pelos braços, como a se proteger do frio. Do nada veio à sua mente uma frase que a mãe lhe falou quando fez seu primeiro trabalho como modelo. Ela era uma menina de trança no cabelo acostumada a ser paparicada. Era um comercial de Mirabel, e ela só tinha que morder uma das bolachinhas e exclamar "humm, agora meu dia está completo". Logo o diretor gritou corta e fez um carinho entusiasmado na barriga da menina. A mãe teve seu dia de felicidade, e no caminho de volta para casa disse que beleza era uma dádiva, mas tinha de ser usada com sabedoria.

Um pensamento ridículo passou pela cabeça de Gabriel. Ele abriu rapidamente as gavetas de um criado-mudo em busca de um revólver, ou mesmo de algo que pudesse usar para se defender. A manobra absurda só serviu para lhe distrair, e quando voltou a olhar pelo vidro viu a roda se dispersar e não conseguiu mais localizar Aline Vega no salão. Os minutos se passaram — onde ela estaria? A festa voltou por um tempo a ser um evento comum, sem o frenesi da espera por alguma coisa que ninguém sabe ao certo o que é.

O barulho do talher contra a taça de champanhe chamou a atenção dos presentes.

— Essa história de a mulher ter apenas um homem nasceu por uma questão econômica. A família precisava garantir a posse do dinheiro, e para isso tinha que garantir a posse da mulher. Em sociedades primitivas matriarcais uma mulher se casava com vários homens. Poucos lugares do planeta ainda mantêm esse costume, e eu garanto a vocês: são pessoas felizes.

Baroni confiava no seu taco de orador. Criar envolvimento havia lhe garantido parte considerável do patrimônio. Um silêncio calculado e anunciou: — Eu recebo, aqui na nossa igreja, nossa noiva Aline Vega.

Ramón abriu uma porta e Aline Vega retornou à festa. Estava de meias pretas e salto alto. Apenas um véu negro que descia pelo seu rosto até o meio das coxas ofuscava a nudez absoluta.

A presença impactante provocou movimentos nervosos e ruídos desconexos, como se alguém tivesse virado uma chave e o ambiente entrasse em outra sintonia. Aline caminhava a passos lentos, levada pelas mãos por Baroni para um altar improvisado, com velas, uma escadinha de pedra para se ajoelhar e uma escultura com uma santa *sexy* em pose despudorada. A expressão sisuda da noiva parecia fazer parte do ritual. Alguns se colocavam em posição estratégica para ver as costas nuas da ex-estrela.

Com todas as atenções voltadas para o outro lado, Gabriel foi o único a perceber que o homem gordo se livrara de todas as suas roupas. A figura sebosa dirigiu-se só de meias para perto de Aline. O sujeito do caderninho agora registrava a festa pela câmera do seu celular. O gordo colocou-se ao lado da estrela, passou a mão em volta de seus ombros e pediu por uma foto. Uma tietagem fora de hora, constrangedora. A contragosto a foto foi tirada, uma maneira menos traumática de o gordo desgrudar de Aline Vega e o ritual prosseguir. O gordo posou com um sorriso deprimente, e Aline mal conseguiu que seus lábios a obedecessem.

Gabriel chegou a segurar o trinco da porta, mas recuou. Ela estava nua, era preciso fazer alguma coisa. Sentou na cama, pensou em se masturbar. Foi quando a porta abriu. O pateta da franja acendeu a luz e fechou a porta atrás de si. Em seguida tirou um revólver da cintura.

4. Fechadura

— Que *tá* fazendo aqui, *rapá*?

A arma apertando sua têmpora impossibilitou-o de articular uma resposta. Gabriel balbuciou algo, e em seguida engoliu o choro.

— Tem ideia de onde se meteu? Se o tiro não fosse atrapalhar a festa eu furava teu cérebro agora — Ramón dizia isso e suas mãos se agitavam; Gabriel temia que o revólver disparasse.

O pedido de clemência do garoto soou como um ganido. Como um cachorro acuado, começou a tomar chutes de Ramón. Quase mordendo a orelha do garoto, ele exigia de Gabriel que contasse o que tinha visto. A tática só fez com que o desespero aumentasse; Ramón ficou com medo que o som dos gritos vazasse para o lado de fora e só então aliviou.

— Se acalma, moleque — e depois, num tom quase amigável: — Quer uma água com açúcar?

Gabriel assentiu, e não houve tempo nem de enxugar uma lágrima antes de tomar tapas fortes nos dois ouvidos. Ramón bateu com as mãos em concha, apoiando de um lado e dando o golpe de outro. Para não arrebentar os tímpanos, como tinha aprendido com um amigo polícia.

Gabriel se lançou ao chão como um epilético subitamente acometido de paralisia. Não conseguia gritar, pois mal respirava. Precisou fazer força para o diafragma se mexer e trazer o ar para dentro. Ramón sentou na cama com sua bota velha pisando a cabeça do garoto.

— No fim da festa eu dou um jeito em você. Essa hora você devia estar na balada com a namoradinha. Mas você é do tipo que não tem namorada e não tem dinheiro para comer puta. O tipo que atrasa o progresso da humanidade.

Em seguida, ainda esfregando a bota no rosto da sua vítima, Ramón fez uma breve digressão sobre como a masturbação retarda a civilização. Uma conversa enfadonha que ele já repetira a dezenas de interlocutores, mas como era o melhor que ele podia produzir, insistia. Explicava que o cidadão salta da cama de manhã com planos grandiosos para o seu dia. No chuveiro quente, resolve tocar uma para descarregar. É como sangrar o touro antes de ele entrar na arena. O bicho perde a energia vital. E assim, concluía o pensador, o nosso personagem deixava sua contribuição para o futuro escorrer pelo ralo do chuveiro.

— Infelizes como você são uma praga — disse por fim. Depois Ramón levantou e tentou olhar para fora. Com a luz acesa o vidro perdia a transparência e virava um espelho. Ramón se flagrou na sua impotência. O fogo queimando lá fora e ele tinha de fazer sala para o penetra. Gabriel sentou-se e esfregou a cabeça, para aliviar a dor e se livrar do barro que ficara da bota. Precisava encontrar as palavras certas; era a sobrevivência que estava em jogo.

— Deixa eu ir embora. Eu juro que não conto para ninguém.

— Tarde demais, garotão. Se quiser eu posso poupar tua vida, mas vou cortar teu pau. Topa? — e repetiu, satisfeito com o dilema que propusera. — E aí? O pau ou a vida?

Ramón encostou os ouvidos no vidro. Estava perdendo os melhores momentos, o clímax da festa. Gabriel hesitou em perguntar qualquer coisa, mas talvez fosse sua última chance de ser valente.

— O que é que estão fazendo com ela?

— Preocupado com a donzela? Ela tá adorando, pode ter certeza. Pena que é tarde demais para você aprender alguma coisa sobre mulher.

Conformado que teria de trabalhar em vez de se divertir, Ramón conferiu quantas balas tinha no pente.

— E aí, para qual Deus você reza?

— O quê?

— Religião, filosofia, essas merdas... você acredita em quê?

— Não sei. Em nada.

— Sabe que até pega bem morrer jovem assim. Amanhã teus amigos de colégio vão comentar. Vai ser a primeira vez que alguém da classe vai reparar que você existe. Quer dizer, existiu.

— Eu não quero morrer, por favor! Eu juro que vou guardar segredo. Eu não vi nada.

— Pode deixar que o rosto eu preservo. Uma vez acertei um camarada no rosto e ele teve de ser enterrado em caixão fechado. Morri de pena da mãe, não teve nem direito de ver o filho pela última vez. *Tá* certo que o cara era feio como o cão, mas mãe nunca acha isso.

Ramón foi até o vidro, tampou a luz com as mãos. A barra estava limpa.

— Beleza, garotão. Se não vai rezar para ninguém, então vai com os pecados mesmo.

Gabriel começou a chorar alto. Soluços sentidos, até patéticos.

— Pelo amor de Deus, eu não fiz nada! Me deixa ir pra casa!

— Ah, agora acredita em Deus? Por que todo ateu se converte na hora que tá fudido?

Ramón puxou Gabriel pela gola da camisa. Tentou fazê-lo ficar de joelhos pelo menos, mas o corpo mole e trêmulo do garoto insistia em se arrastar no chão.

— Deixa de ser comédia! Pelo menos morre com dignidade!

Ramón apertou a arma no peito, depois na barriga, no pescoço. Se o cano encostasse em alguma parte fofa abafaria um pouco o som do tiro.

Silas Baroni entrou afobado. Na surpresa, Ramón bateu com o revólver no rosto de Gabriel. A dor nem foi tanta, mas com o susto Gabriel soltou um grito — nunca chegara tão próximo da experiência de morrer.

— É só relaxar um segundo, que vocês me arrumam problema? — Baroni bufou enquanto abotoava a camisa.

— Eu já estava na parte da solução, chefe. Esse moleque ficou escondido aqui, viu coisa demais.

Baroni pegou o garoto pelo braço e fez com que sentasse na cama.

— Como é que você veio parar aqui, guri?

— Eu... eu só queria... achar um banheiro.

Baroni levantou o queixo do intruso.

— Ah, você é o rapaz que vomitou na minha boate. Nunca viu mulher pelada, não?

Primeiro Baroni riu sozinho, depois Ramón acompanhou.

— Pelo jeito meu funcionário te deu um susto — Baroni sentou-se ao lado de Gabriel, tapinhas nas costas. — Ninguém mata ninguém aqui, não. Aqui a gente cultiva Eros e não Tanatos. Sabe do que eu estou falando?

Gabriel balançou a cabeça negativamente. Ramón olhava para o patrão, tentando entender onde ele queria chegar.

— Patrão, não questiono sua autoridade. Mas o garoto é testemunha ocular que viu tudo.

— E qual é o problema? Nosso rapaz aqui só queria — Baroni pensou um tempo num complemento para a frase — olhar pelo buraco da fechadura, não é verdade? Quem aqui não tentou ver mamãe transar com o papai?

A conversa era asquerosa demais para Ramón. Mesmo assim ele concordou com a cabeça quando o chefe olhou em sua direção. Baroni era dono da palavra.

— Dá vontade de contar para todo mundo, não dá? Você vê a capa de revista nuazinha na sua frente. Quem não vai relatar essa experiência para os amigos?

O jogo do careca era elementar. Gabriel se sentiu firme para negar, agora convincente. Mas no próximo lance o dono da bola complicou mais as coisas.

— Você gosta dela, não gosta? Eu vejo paixão em seus olhos.

Baroni manteve o olhar inquisidor grudados na direção de Gabriel. Uma cara esquisita, por isso Gabriel achou melhor se manter calado. Ramón quebrou o clima.

— Eu não confio em punheteiro. Até polícia é melhor que punheteiro.

— Pois eu confio no nosso garoto — foi a resposta de Baroni. — Alguém que correu risco de vida para desfrutar prazeres proibidos merece meu respeito.

O que significava dizer que merecia também o respeito do pau mandado. Ramón guardou a arma na cintura. Anos de dedicação e o chefe só faltava condecorar o onanista recém-chegado. Mais uma frase e não faltava mais nada.

— Hoje você é nosso convidado *vip* — anunciou Baroni.

— Isso quer dizer que... eu posso ir para casa? — o nervosismo fazia Gabriel embaralhar as ideias.

Silas Baroni riu forçado. Em pé, sua figura ficou enorme, paternal.

— Casa? Você ganha na loteria e não quer buscar o prêmio!

Sem mais conversa, ele pegou o garoto pelo braço e o levou para fora. O salão estava agora escuro, com copos de uísque dissolvidos no gelo espalhados pelas bancadas e bitucas de cigarros nos cinzeiros. Algumas peças de roupas tinham sido esquecidas.

O dedo de Baroni apontou para a mesma porta de onde Aline saíra seminua.

— Está vendo aquela porta ali? Entra lá para a sua iniciação — o tom era de um pai que estimula o filho a brincar no carrossel.

As pernas de Gabriel ficaram em dúvida entre obedecer ou correr. Sentia-se em uma daquelas armadilhas em que escolher a porta errada significava dar de cara com um leão raivoso.

— Está esperando o quê, garoto? Eu estou lhe dando a chance de realizar o sonho da sua vida — o "eu" era pronunciado com exaltação, típico da megalomania; o tom era de animador de auditório. A deixa para Ramón entrar como assistente de palco.

— Agradece o patrão, moleque!

Gabriel foi em direção ao quarto, primeiro andando devagar e vacilante. Depois apertou o passo. O condenado não escolhe a guilhotina, então que apressasse o drama, ao menos. Uma exaltação percorreu sua espinha.

Ele virou a fechadura devagar. A porta rangeu ao ser empurrada. A fresta da luz que veio de dentro iluminou parcialmente o salão. Gabriel pensou em primeiro esgueirar o rosto para dentro, como quem entra na água pela pontinha dos pés, mas achou mais decente empurrar a porta de uma vez.

No quarto, Aline Vega estava deitada na cama, nua.

PARTE II

CONHECER A VÍTIMA É CONHECER O ASSASSINO

5. Manchete

As unhas dos pés de Aline Vega estavam pintadas de vermelho. Dos pés brejeiros ela tinha vergonha, mas faziam sucesso. No tornozelo, a tatuagem de um anjo. A perna direita esparramava-se esticada enquanto a esquerda tinha os joelhos dobrados, oferecendo a carne farta das coxas. Pernas que engrossaram cedo, deixando malucos os meninos do colégio. A cintura ainda fina, não mais com a barriga definida dos tempos de palco, mas ainda fazendo uma curva precisa para os seios exagerados. Um braço se estendia largado sobre a barriga, o outro tocava os cabelos um pouco ondulados. Alguns fios voavam com o vento. O rosto estava sereno. Um rosto que podia tanto ser o da menina brincalhona quanto o da jovem mulher que já viveu muita coisa. A boca levemente entreaberta. Os contornos eróticos da boca eram naturais, Aline Vega era a beleza sem cirurgia plástica que se tornava artigo raro. Seus olhos estavam abertos e olhando para o nada. O brilho dos olhos negros resistindo ainda, mesmo Aline Vega estando morta.

Os dois primeiros policiais do Departamento de Homicídios da Polícia Civil (DHPP) que chegaram faziam a ronda da manhã quando foram avisados do corpo pelo rádio. Pedro Paulo Pacheco estava se preparando para ir para casa e dormir pelo menos três horas para depois voltar para a delegacia e tentar embromar o resto do dia. A aliteração no nome fez com que os colegas passassem a chamá-lo apenas de Três Pês. Com o tempo e a chegada dos novatos, poucos sabiam seu nome de verdade.

Tavares expressou sua impaciência dando um soco no rádio.

— Esses filhos da puta sempre resolvem achar cadáver no fim do nosso horário — ele suava muito, como de costume. O colete preto da Civil apertava sua barriga saliente.

Não demoraram mais de quinze minutos para chegar ao local. Madrugadores já se acotovelam no vão que ficava debaixo do viaduto Humaitá. O corpo estava largado num bloco de cimento, entre as latas de lixo. Ali funciona uma academia de boxe improvisada, e o primeiro aspirante a atleta que chegou interrompeu a sequência de pancadas no saco quando se deparou com uma perna feminina estendida num canto.

Ou a modelo havia sido morta ali ou o sujeito da desova era um incompetente, foi o primeiro pensamento que ocorreu a Tavares ao ver o corpo.

O segundo pensamento foi que estavam diante de um daqueles casos que vão dar ibope, como costumam dizer no departamento.

— Essa não é aquela que cantava aquela musiquinha, como é que é mesmo? — Tavares analisava o corpo quase exposto — as roupas da vítima estavam rasgadas, deixando os seios de fora, e por baixo da saia curta não havia nada — mal disfarçando que havia um prazer naquilo.

— Pelo menos nunca mais vamos ter de ouvir aquela porcaria — respondeu Três Pês num bocejo.

— Você que pensa. Agora que a rádio vai tocar sem parar. A garotinha vai ficar famosa outra vez.

Os dois não passaram desse tipo de gracinha e de avaliação superficial até a chegada do delegado titular Eduardo e da investigadora Luisa. No máximo espantaram um ou outro rato que surgia de um bueiro próximo. O cheiro de peixe da feira que começava a ser armada na rua vizinha começava a chegar. O contraste da beleza da morta com a podridão ao redor podia até ilustrar um calendário desses fotógrafos metidos a chocar o público.

Eduardo chegou fazendo perguntas, com sua conhecida postura ativa. Três Pês e Tavares confirmaram que o boxeador desempregado viu o corpo quando passava na avenida, que ninguém tinha mexido nele, e que na redondeza ninguém soube falar muita coisa. Nenhum grito, nenhuma movimentação estranha. Aline tinha marcas nos pulsos, arranhões nos joelhos e alguns machucados espalhados pelo corpo. No pescoço, um corte fino e profundo, de um roxo vivo, que indicava estrangulamento com instrumento perfurocortante. Arame, fio de náilon, qualquer coisa que aperte as artérias carótidas e deixe o cérebro sem ar.

— *Taí*, doutor. A última foto seminua — brincou Tavares enquanto o perito fazia imagens do corpo.

O olhar de reprovação de Eduardo foi o suficiente para censurar o *show* de humor improvisado. Luisa odiava o comportamento abjeto de Tavares, típico policial que já deveria ter sido extinto. Ela agachou ao lado do corpo e procurou se concentrar nos primeiros indícios. Os olhos da vítima lembravam os da sua filha.

A próxima parada seria o Instituto Médico Legal. Antes chegaram carros da imprensa. Os caras deviam ter um urubu na redação só pra sentir cheiro de carniça famosa, pensou consigo o Três Pês. De um dos carros saltou um câmera e, na frente dele, apressada, a repórter de luzes no cabelo, conhecida por quase cuspir na tela ao expressar sua raiva pelos criminosos.

— Estamos aqui no local do crime com o delegado da Homicídios Eduardo Vilaverde — a repórter encostou o microfone na cara do entrevistado enquanto dava ordens ao cinegrafista:

— Filma o corpo, se não estiver muito arrebentado a gente joga um *take* no ar.

O câmera deu um *zoom* em Aline e voltou, com uma expressão de desgosto. Eduardo tentou afastar o microfone — "agora não" — mas a repórter conhecia sua fonte.

— Está confirmado que se trata do corpo da modelo Ali-ne Vega?

O repórter do *Correio da Noite* aproximou-se para pegar carona na resposta. Ele chegou em um Uno branco de porta amassada que ele mesmo dirigia. Embora ainda não tivesse quarenta anos, era um repórter das antigas. Andava sempre com o bloquinho com o logo do jornal, feito da reciclagem de papel da tiragem que sempre encalhava. O *Correio da Noite* tinha esse nome porque seu fundador tivera a ideia brilhante de colocar o jornal na praça ao cair da tarde, para o trabalhador que estava indo pra casa sedento de sangue alheio, e quem sabe assim achar um pouco mais confortável a sua vida miserável. Custava o preço do pingado, tinha manchetes criativas e fotos de amantes, donzelas, bandidos e figurões ensanguentados. Durante muitos anos a estratégia funcionou. Depois, como diziam os conselheiros ao teimoso proprietário, "a sociedade mudou". O jornal só não falia porque ainda trazia algumas vantagens para o velho dono, que agora mal tirava o pijama: as permutas com supermercados, contadores, agências de viagens que anunciavam no tabloide em troca de produtos e serviços. O *Correio da Noite* quase não dava despesa — era tocado somente pelo seu único repórter, que escrevia os textos, fotografava e diagramava. Para o faz-tudo da redação o jornal tinha sido no começo a oportunidade de conhecer o mundo de criminosos e psicopatas que lhe daria farto material para o seu romance nunca concluído.

A investigadora Luisa improvisara um jornal para cobrir o corpo da exposição aos curiosos. Motobóis, entregadores, secretárias e desempregados que transitavam pela região começaram o dia com emoção. Tudo o que uma boa policial precisa evitar, considerava Luisa, é a emoção. Uma neblina que obscurece a razão e a investigação está comprometida. Sua técnica consistia em analisar minúcias, evitando os enganos das primeiras impressões, com a vantagem de manter a mente ocupada e afastar o horror que violências daquela espécie ainda lhe causavam. Quando entrou para a polícia, quis acreditar no que diziam os investigadores mais velhos — que com os anos a maldade torna-se tão corriqueira quanto comprar picanha no açougue. Luisa ainda não atingira aquele ideal de serenidade.

O último policial da equipe a chegar foi justamente aquele que mais tranquilamente transitava pelo submundo dos corpos retalhados. A última vez que passara mal com cenas chocantes já contava mais de vinte anos, e desde aquele dia o veterano Horácio Pereira se prometera nunca mais misturar Bourbon com Martini antes de ver um intestino esparramado para fora de um corpo. O cabelo grisalho sempre despenteado e a jaqueta *jeans* surrada eram sua marca. Assim como a ironia.

— Como sempre o cadáver aqui e o Eduardo ali — observou apontando para a entrevista coletiva. Naquela altura muitos outros repórteres se amontoavam diante do delegado titular.

Os outros estavam acostumados com os comentários do colega mais velho, o tipo que sabia ver o lado ruim das coisas. Nesse caso, no entanto, o amargor era uma virtude, pois não foram poucos os casos que Horácio desvendara apostando contra a espécie humana.

— Como alguém é capaz de uma coisa dessa? — perguntou Luisa antes que o cadáver fosse removido para ser periciado.

— Qualquer um de nós é capaz de uma coisa dessa — rebateu Horácio de bate pronto.

—Algum palpite, "mestre"? — Eduardo aproximou-se provocativo. Pelos anos de polícia, Horácio era chamado de mestre pelos mais novos, mas em Eduardo o tom era sarcástico. Do seu lado, Horácio se divertia encontrando formas de depreciar o policial promissor e que tivera uma carreira de ascendência surpreendente. Horácio acusava Eduardo de "acreditar em injustiça social", e volta e meia lembrava que policial só fica bom depois de vinte anos. Eduardo, com menos tempo de carreira do que isso, passara com louvor no concurso para a civil e fora galgando degraus, sempre trabalhando até tarde, acreditando no valor do esforço individual e deixando seu nome assinado em casos difíceis. Por isso chegara bem na frente dos policiais ressentidos e encostados.

— Um caso clássico — começou Horácio ignorando a provocação do colega. — Garotão sai com a gostosinha, vê que ela vestiu uma roupa sedutora, leva em uma festinha, bebida de graça, mostra a morenaça para os amigos, vê que está todo mundo babando e se sente o cara, está se dando bem, vai no banheiro, cheira a primeira carreira de cocaína misturada com bicarbonato, bota banca que conhece o trafica. Há tempos que só cheira pó socialmente, sabe que não vicia. Depois vai levar a menina em casa, bate mais uma carreira no caminho, quer experimentar? Ela topa, só daquela vez, está deprimida. Ele manda mais uma, fica doidão, quer trepar mas o pau não sobe, fica puto de perder uma chance daquela, logo naquele dia foi falhar, uma gostosa daquela, ex-capa de revista, cruzando as pernas no seu carro novo. Ela diz que tudo bem, ele cheira mais uma, começa a ficar violento, ela pede para sair do carro, ele diz que a balada ainda não terminou, vai levá-la para outro lugar. Ela não quer, ele sai dirigindo em disparada. Ele afunda o pé, manda a piranha parar de chorar. Para em um lugar ermo, ela implora, me leva para casa. Ele manda ela arrancar a roupa, falar palavrões, xingar, dizer que ele não passa de um otário, que daria para todo mundo menos para ele, que a namoradinha oficial gosta mesmo é de transar com o porteiro do prédio. Ela se recusa, não aguenta mais desequilibrados em sua vida, queria alguém que a compreendesse. Ele começa a machucá-la. Ela sai do carro, no meio do nada, ele vai atrás, começa a bater, ela merece, a culpa é dela, que é muito vulgar. Quando percebe exagerou na dose. O babaca não sabe nem verificar se ela ainda tem pulso ou não. Na dúvida, pega um fio qualquer no carro e aperta no pescoço, até o sangue começar a vazar. Depois deixa num lugar escuro e vai para casa pensando: que merda que eu fiz. Devia ter ficado em casa vendo série policial americana. Matar de verdade é muito louco.

O delegado titular era um dos poucos policiais que não se interessavam pelas histórias de crimes de Horácio, crivadas de lances imaginativos e viradas espetaculares. Embora reconhecesse os méritos do membro mais antigo de sua equipe, considerava que intuição era coisa de artista plástico. Polícia tem que ter ciência, sangue-frio, fatos. A essa receita acrescente-se o ingrediente mais difícil de se achar no mercado: um ser humano tentando ser o menos falível que puder. Desvendar crimes tem de ser uma espécie de chamado interior, um sacerdócio, para que o homem da lei não passe a vida se queixando do desconto no contracheque.

Quando o vento resolveu dar as caras, o jornal que estava sobre o rosto de Luisa saiu passeando pelo chão de cimento irregular. Na manchete se lia: *Presidente afirma que miséria está na raiz da violência*. Horácio pousou a atenção no rosto e nos ombros descobertos do cadáver. Surpreender-se era algo raro, mas Horácio não conseguiu evitar.

— A moça parece até que está sorrindo.

O rosto da ex-modelo trazia uma expressão de paz, como se dormisse embalada em sonhos coloridos. Como se logo fosse acordar, se espreguiçar como num comercial e sentar-se para um farto café da manhã, início de mais um dia fascinante.

Violência muitas vezes vem no rastro da beleza, pensou Luisa também embalada pela visão. Foi quando descobriu por onde começaria a sua investigação.

Eduardo foi o último a dispersar. Deixou para ir embora quase com o corpo, como se quisesse se despedir de um ente querido. O delegado odiava admitir, mas Horácio era um grande observador. Havia no rosto da morta o esboço de um sorriso, como o de uma Mona Lisa assassinada que ainda conserva seu enigma.

6. Gravata

No fim de um dia de trabalho intenso, a pior diversão que Eduardo poderia encontrar era o jantar na casa do futuro sogro. A diligência no bordel Semelle's não havia dado em nada. Era evidente que se Aline Vega tivesse sido morta no lugar onde passara sua última noite, Baroni armaria uma operação de guerra para ocultar as pistas. Tinha nas mãos gente que abriria mão de suas agendas lotadas para não ver seu santuário manchado.

O pedido do sogro lhe soava como uma ordem. Cada frase do velho, mesmo um simples "como vai", era um comando. Um assassinato para desvendar, que já ocupava as manchetes dos jornais e o clamor indignado dos programas de tevê de fim de tarde, quase sempre com as informações mais delirantes, e Eduardo tinha que se preocupar se o nó da gravata estava ajustado.

Depois de se anunciar na guarita, esperou que o portão com barras altas se abrisse. Em seguida tinha que avançar por este primeiro obstáculo e aguardar com o carro diante de um segundo portão. Era preciso que o de trás se fechasse completamente para que o próximo portão se abrisse; só então o visitante tinha permissão para entrar. Um mecanismo exatamente igual ao do presídio, com a diferença de que aqui a vista era um jardim assinado por um paisagista de renome, enquanto lá o cenário era o pátio sombrio e úmido do banho de sol.

A longa espera pelo abrir e fechar dos portões geralmente provocava impaciência no delegado. Mas naquele dia ele estava tão imerso em divagações, que podia ficar um tempo parado ali, entre o casarão e a rua, sem se decidir por nenhum dos dois mundos. No seu *metier* encontrava com a esfinge quase toda a semana. Decifra-me ou devoro-te. Conhecer a vítima é conhecer o assassino, era o que seu pai tinha lhe dito num fim de tarde quando chegou em seu uniforme de policial militar — no tempo em que ainda mantinha o uniforme impecável, antes de ser vencido pelo álcool. Mesmo toda a ciência dos legistas do IML e do Instituto de Criminalística era suficiente para revelar assassinos. Havia sempre um elemento insano, imprevisível e incontornável na equação, chamado ser humano. Entre os dados da perícia e o desvendar de um caso de morte existe a figura do delegado de polícia, que precisa aliar razão e instinto, ambos em doses bem apuradas. É preciso ser motivado por um impulso qualquer, uma espécie de vocação de morte, um prazer em visitar lugares mórbidos. Delegado burocrata é sinônimo de caso arquivado.

Era o exato perfil de Eduardo, na avaliação positiva que tinha de si mesmo. Provara o seu valor três, quatro vezes mais do que outros agentes de segurança pública. E iria continuar provando, como um aluno para quem o dez ainda é pouca coisa. Comprou uma briga séria certa vez por ter ouvido um buchicho de corredor, em que dois escrivães defendiam que preto era cor de bandido, e não de delegado de polícia. Após um bate-boca em que armas quase foram sacadas nos corredores da DP, Eduardo descobriu o porquê dos comentários. Naquele dia havia sido promovido a delegado titular.

Para desafiar os que se interpunham à sua ascensão, deixou o cabelo crescer e armou uns *dreads*. As costeletas compridas, a barba eriçada, o olhar arguto de um lobo negro pronto para atacar — muito de sua figura era copiada de um histórico general africano que transformara sua tribo em uma nação, à custa de muito sangue inimigo.

O primeiro passo era reviver a história da vítima. As últimas 24 horas, cada passo, cada momento antes de partir para o céu, para o nada eterno ou mesmo se encontrar com aquela figura de capuz preto e tridente nas mãos. Conhecer a vítima. Era como se Eduardo esquecesse por um tempo quem era ele mesmo e passasse a viver a história de quem se foi. A vida do cadáver ia se desvelando de trás para frente. O último trabalho, a última grande emoção, amigos, inimigos, familiares, toda peça de um quebra-cabeça que podia ter milhões de peças. Por fim, restava conhecer o outro protagonista de toda história de crime e mistério. Seja movido por paixão cega, por vingança, por dinheiro ou porque lhe roubaram o patinete na infância, no final das contas era sempre alguém tirando a vida de alguém. Um filósofo já dissera que o suicídio é a única questão que realmente importa, para Eduardo, sabedoria de alguém que nunca viu um corpo retalhado em doze pedaços. O assassinato, sim, encerra toda a condição humana. Seguir os passos do assassino implica entrar na sua mente, compreender e até louvar suas trevas. No limite da competência, acreditava Eduardo, era preciso *ser* um assassino.

Eduardo pensava em Aline, seu rosto ainda jovem, seu sorriso que perduraria pela eternidade, seu sangue estancado nas veias, quando o porteiro deu dois toques com os nós dos dedos no vidro do carro. Perguntou em tom de galhofa se ele não iria entrar. Eduardo se tocou que estacionara o carro entre dois portões, então engatou a primeira.

A angústia às vezes o paralisava, era preciso ter domínio de si. O delegado titular do 15º DHPP estava diante de mais um caso em que todos duvidariam dele. Só uma pessoa não podia questioná-lo nunca. Essa pessoa era ele próprio.

Quando Eduardo saltou do carro, o sogro o esperava na porta. Uma cordialidade inédita, indicando que o jantar reservava surpresas.

7. Flecha

Horácio deu a tacada. A bola cumpriu a sua reta perfeita até a caçapa, mas caprichosamente acertou uma quina, depois outra, e voltou quase ao mesmo ponto de saída. Depois de praguejar, encontrou uma vítima inocente: o taco.

Baroni agradeceu o presente e caprichou no giz, fazendo de conta que era profissional. Em seguida se debruçou sobre a mesa, analisando a jogada de vários ângulos como se estivesse às voltas com cálculos complicados. Um ritual irritante para Horácio. Se o rival pontuasse, levaria a partida, e polícia não deve perder para bandido.

— Qual é o problema, companheiro? Eu fico nervoso com gente nervosa ao meu lado — disse Baroni, adiando a jogada.

— É um salvo-conduto? Caso você erre a tacada? — rebateu Horácio.

Baroni empunhou o taco novamente e fez a jogada, descartando toda a preparação anterior. A bola azul não entraria nem se houvesse dezoito caçapas na mesa.

Horácio liquidou o jogo.

As últimas tacadas de Horácio foram dadas com raiva, mas sem perder o controle. Só então relaxou e fez a pergunta, em tom nem inquisidor nem amigável.

— O último lugar que a garota foi vista com vida foi aqui.

— Pois é, preciso mandar benzer a boate.

— Você não tem nada para me dizer?

— Tenho. Se eu começar a matar prostitutas eu perco meu ganha-pão.

— Eu falei a palavra matar?

— Você está me interrogando? Não vai dizer que eu tenho o direito de permanecer calado?

Horácio abriu o frigobar e tirou uma lata de cerveja. Um gole longo. Baroni admitiu que Aline Vega estivera lá na noite anterior. Fez um *show* de *strip tease* para a casa lotada. Um belo corpo, embora decadente. Os clientes aplaudiram, ele pagou bem e ela ficou satisfeita. A confissão de um garoto que joga a bola na vidraça do vizinho, mas sem querer. Só que a trave era para o outro lado.

— Então ela vestiu as roupas e foi embora? — Horácio sabia que se assistisse a um filme com as últimas 24 horas da vítima poderia detectar a cena em que o personagem do assassino se revela.

— Não. A garota foi nossa convidada de honra para uma festa particular. Uma das noites de fantasia da casa. Só para clientes selecionados. Você me entende, certo?

— Sei. Só a escória da alta sociedade.

O dono do Semelle's não gostou do comentário. Ele se orgulhava de promover uma "justa distribuição do prazer". Como empresário da noite, trabalhava com piranhas que só sorriam diante de presentes caros até aquelas que tratam por príncipe encantado o cliente que oferece um bilhete de ônibus como pagamento. Da sua rede de estabelecimentos qualquer um sai acreditando mais em si mesmo.

— Aqui vem todo tipo de gente atrás de emoção, companheiro. — Baroni começou a armar o seu discurso. — A humanidade reprime o desejo e nós somos a cura.

O investigador não estava interessado em filosofia, e continuou perguntando por detalhes sobre a festinha privê. Baroni contou com orgulho do clima de sofisticação e erotismo. Demorou-se na descrição da noiva em véu negro. No início ela ofereceu certa resistência, facilmente contornada, "já que não existe mulher mais difícil que celebridade e mulher mais fácil que ex-celebridade". Ela foi muito gentil com todos e o Semelle's angariou dos convidados enorme gratidão pela noite inesquecível, e gratidão costuma render bons dividendos. Nesse momento Baroni deixou de lado o tom de lirismo e ensaiou um aspecto ameaçador.

— Os nomes dos meus convidados eu não abro nem diante do juiz ou do pau-de-arara. No meu ramo tenho de agir como um banco suíço.

Se tinha uma coisa que irritava Baroni era ser bode expiatório dos hipócritas. Ele era inocente, o que já fora provado diante de uma plateia dividida entre moralistas e liberais, num julgamento anos atrás, depois de uns dias de cadeia que se transformavam em festa no dia das visitas íntimas.

Horácio refletiu por um tempo. Conhecia a filosofia mundana do amigo de trás para frente. Tinha dificuldade de detectar se mentia ou não. A próxima pergunta, elementar, foi se Aline Vega tinha feito programa na noite em que fora morta. Baroni adotou a resposta padrão que usava tanto para jornalistas como para promotores que questionavam sua conduta: é provável que sim, mas ele não tinha nada com isso. Vale a liberdade de negociação entre consumidor e vendedor. "Se alguém tiver feito uma boa oferta e ela tiver topado, qual o problema?", concluiu. Sua discreta participação era apenas alugar quartos, um hoteleiro que não se intromete na vida dos hóspedes.

Da escada surgiu uma menina de cabelos pretos muito lisos e olhos grandes e curiosos. Ela se sentou na borda da mesa de *snooker*, fazendo força para aparentar desinibição. Vestia apenas calcinha branca e blusinha transparente. Tinha seios pequenos e atrevidos, duas flechas apontando para sua vítima. Os olhos claros tentavam seduzir Horácio. Uma novata tentando galgar na profissão.

— Não sabia que serviam menores de idade aqui! — o tom de voz de Horácio foi de repreensão.

— É o que os clientes mais procuram. Olha só a carinha de anjo! — disse Baroni enquanto apertava as bochechas da garota, como um tio que mal disfarça a perversão no jantar com a sogra.

— Isso dá cadeia, sabia?

— Você está vendo algum policial por aqui, Horácio?

Horácio encarou a menina, que continuava a persegui-lo com o olhar. Ela aproveitou a atenção e abriu um pouco as pernas. Baroni incomodou-se com a hesitação.

— Você concorda que um bandidinho de 16 anos tem de responder pelo seu crime, não concorda? — e antes que Horácio pudesse formular "o que isso tem a ver", concluiu: — Então por que uma menina de 16 não pode responder pelo seu corpo?

Até a garota achou a ideia superinteligente. Por um momento ela esqueceu seu intento e ficou meditativa. Como o dono do seu gado, Baroni praticamente a empurrou para o colo de Horácio. Ela entendeu a deixa, e sussurrou algo no ouvido do policial.

— Eu vim aqui tratar de outro assunto — disse Horácio, expulsando o tesouro do seu colo.

— Relaxa. Essa donzela veio me pedir emprego e eu quero que você faça a entrevista.

— A *nossa* entrevista ainda não acabou.

— Você quer que eu fale mais o quê? A defunta esteve aqui ontem, ficou para a festa e foi embora. Não parecia muito feliz, essas garotas deprimem quando apagam o holofote — Baroni ficava mais indignado à medida que tinha que se explicar. — Qual o motivo da visita então? Veio tentar me grampear, igual o seu chefe bronzeado?

Horácio também tinha suas ressalvas em relação a Eduardo, mas a cor da pele não era uma delas. A ninfeta ficou nervosa pelo clima tenso e tentou tirar alguma pílula da felicidade do bolso.

— Gente, para que brigar! Tipo... não é melhor a gente se divertir?

A vozinha de adolescente que contesta o pai causou em Horácio efeito contrário. Ele se levantou, praticamente jogando a donzela no chão, e partiu pra cima de Baroni, ameaçador. Encontrou um olhar assustado: Baroni conhecia suas explosões de raiva. Hora do recuo estratégico.

— Opa, meu amigo, desculpe recusar o convite, mas meu médico me proibiu de apanhar.

Depois, com a mão estendida para Horácio:

— Vamos fumar o cachimbo da paz?

A mão permaneceu estendida no vazio. A garotinha ajeitava a fivela da sandália, emburrada. Horácio vestiu sua jaqueta, pronto para se mandar.

— Eu não sou seu amigo.

8. Criança

— O terno faz o homem.

O deputado Sergio Freitas proferiu sua máxima e fez uma pausa para ver o efeito que causava no possível genro. Eduardo não concordou nem discordou.

— Você, por exemplo. É o delegado de polícia mais elegante da cidade. Talvez não seja o mais eficiente. Quero dizer, não se ofenda, mas pode ser que tenha outros tão bons quanto você. Mas nenhum se destaca pelo estilo. Por isso você é o melhor.

O terno que Eduardo vestia era cinza sóbrio, risca-de-giz discreto, feito por um alfaiate que o deputado tinha lhe indicado e que lhe custara as horas extras. O sogro tinha orgulho dos seus paletós, dos seus charutos e da sua adega. Era refinado, mas sabia ser do povo quando preciso. Nunca fora flagrado em corrupção. Antes de ser político já era advogado de um dos escritórios mais requisitados do país. Todos são inocentes caso não se prove o contrário, era sua anedota preferida.

Quando o sogro lhe chamava para fumar um charuto na biblioteca, Eduardo sabia que se tratava de assunto importante, a ser conversado longe dos ouvidos da filha. Foi assim na primeira visita que fizera ao casarão do Jardim América. Na conversa após o jantar regado a Cheval Blanc, após um longo preâmbulo em que o deputado assegurou que não tinha uma só célula racista no seu corpo, que a sociedade de hoje era tão diferente da sua infância, que se tornara comum ver negros no fórum que não fossem os engraxates e que não é a cor da pele que faz o homem, mas sim o seu mérito, enfim após todas essas invectivas, perguntou se o relacionamento com a filha era sério. Eduardo rebateu com confiança que eles estavam se conhecendo. A luz amarela se acendeu.

Com desagravo, o pai frustrado pontificou que a filha única já tinha passado pela fase do "estamos nos conhecendo" outras vezes. Rapazes de famílias ricas, que Adélia esnobara. Agora era hora de se aprofundar nas coisas. Adélia tivera aulas de pintura, arrancara notas no piano, gingara em rodas de capoeira, começara o curso de Letras, tudo interrompido antes de dar frutos. Eduardo ainda relembrava o primeiro conselho.

— Sem querer lhe ofender, delegado Eduardo, mas tenho medo que o senhor seja um passatempo para minha filha. Talvez dê um certo *status* entre as amigas ela namorar um homem mais velho, de outra classe e negro. Eu sou assim, sincero, e só peço que o senhor saiba onde está se metendo — foram as palavras do pai sincero.

Embora a vontade tenha sido colocar o velho contra a parede e passar-lhe uma geral, amarrotando seu terno bem cortado, a verdade é que o vírus plantado encontrou um organismo fértil. Eduardo continuou saindo com Adélia, esperando o dia em que aquela mulher apaixonante e sensível, que o fitava com olhos de admiração e não economizava elogios ao seu caráter, iria pedir um tempo por estar confusa. O próximo relacionamento seria um jogador de polo ou mesmo um traficante da favela. A atitude defensiva acabou sendo a melhor tática de jogo. Quem nunca se entregou ao relacionamento foi Eduardo. Não se envolver era o antídoto perfeito para não se frustrar, e seu estilo prestes a escapar pela primeira saída lateral deixava Adélia em estado de permanente insegurança. E cada vez mais apaixonada. Deste equilíbrio entre paixão e medo de abandono nasceu um relacionamento duradouro.

Depois de quatro anos juntos, Eduardo imaginou que aquela nova conversa na biblioteca serviria para o pai da moça reivindicar, com justeza, as alianças de ouro. Mas o sogro adotou um ar grave demais, mesmo para um assunto tão espinhoso quanto o casamento.

— Esse caso da modelo Aline Vega... Está em todos os jornais, não?

— E vai ser solucionado. A polícia está fazendo tudo para isso. — Sem perceber o delegado repetiu a declaração que dera a um jornalista pela manhã.

O deputado fez mais um silêncio. Era um político bom de tribuna, sabia respeitar as pausas que valiam mais que as palavras.

— Eu nunca lhe pedi nenhum tipo de favorecimento, apesar da nossa proximidade.

Toda frase que começava com "eu nunca" significava que o interlocutor apelava ao seu bom comportamento para mudar as regras do jogo.

— Já encontraram o mordomo? — era assim que o deputado perguntava pelo principal suspeito quando puxava assunto sobre os casos do gênero.

— Alguns. Nessa fase da investigação, quanto mais abrir o leque, melhor. Por que o interesse no caso? O senhor não costuma se envolver com assuntos de polícia.

— Pois é, já chega os assuntos de política, esses sim, escabrosos — afirmou o deputado sem definir se era indignação cívica ou piada mal contada. Depois inclinou-se como quem vai direto ao ponto. Mas não foi.

— Todos nós temos nossos momentos, não é verdade?

Era verdade, concordou Eduardo. Veio-lhe à cabeça a figura de um *serial killer* defendendo-se no banco dos réus: "eu tenho meus momentos, só isso". O velho rodeava o assunto como uma abelha na lata de refrigerante. Nada mais irritante.

— Eu tenho um amigo, homem de valor. Chegamos a estudar juntos, mas cada um escolheu a sua trincheira de luta. A minha, no Congresso; a dele, nos tribunais. Hoje é juiz federal.

— Fico feliz pelo senhor. Uma vez tive de prender um bêbado arruaceiro. Quando ele parou de se debater descobri que era meu amigo de infância.

O velho nem ligou para a história sentimental.

— Esse meu amigo costumava frequentar casas noturnas. Essas com *shows*, mulheres, fantasias. Depois de quarenta anos de casado você há de convir que o homem que tem desejo pela esposa não é normal.

— Isso é uma confissão? — a coisa que Eduardo mais gostava era zombar do sogro. Principalmente quando ele não entendia.

O deputado cortou com os dentes a ponta de um charuto cubano, cuidadosamente retirado de uma caixa de metal. Depois de acender, recostou-se na cadeira, mais relaxado. Ele gostava de fato do genro. Eduardo não sabia usar eufemismos. No Congresso sua cota de puxa-sacos já estava preenchida, não precisava de mais um dentro da família.

A porta se abriu devagarinho, e pela fresta Adélia começou a se esgueirar no ambiente. O deputado não percebeu, e deixando o charuto de lado disse que precisava que o genro lhe fizesse um "grande favor". Eduardo sinalizou a presença de Adélia, que já preparava a sua melhor carinha de quem quer atenção. Uma boa pausa para o delegado refletir. O sogro iria tentar corrompê-lo, era isso? Não seria nada agradável ter de lhe dar voz de prisão durante a sobremesa.

A moça se aproximou com seus pés descalços, moletom e camiseta branca. O pai já vidrado na sua princesa.

— Vocês vão ficar presos aqui até quando? Deu saudades dos homens da minha vida.

Adélia sentou-se no colo do pai. Ele respondeu com gracinhas que se fazem para meninas de treze anos. Havia um código desse tipo de brincadeira infantil entre eles. A oposição teria um trunfo e tanto se tivesse a imagem do nobre deputado balançando os beiços e pronunciando ruidinhos num tom acima da sua voz.

Ela então percebeu o noivo recostado na cadeira, ar desamparado, e saltou do colo do pai para o dele, agora assumindo o papel de mamãezinha, percebendo que Eduardo havia ficado com ciúmes por não ter tido a mesma atenção. Adélia mostrou as unhas negras recém-pintadas para o amado: "Em sua homenagem".

Nas entrevistas, o delegado negava-se a responder sobre sua vida particular. Não via problema de falar com a imprensa quando o assunto era interesse público. Transmitia uma imagem de homem articulado e enérgico. Dos cadernos de cotidiano migrou para as revistas de fofoca, quando começou a aparecer ao lado da bela filha do deputado Sergio Freitas. O contraste da cor — Adélia tinha cabelo castanho-claro, magra e de pele tão clara, que mal podia ficar sob o sol — se somava à diferença do estilo de vida. Ela vivia sob o *glamour* das festas e desfiles, ele passeava pelo submundo do crime e do vício. Um casal moderninho que as *socialites* adoravam ter nos seus eventos, pois despertavam as duas emoções básicas do mundo *fashion*: inveja e admiração.

— Essa conversa de vocês demorou demais. Estavam falando de mim?

Ela era o tipo de garota que desde o colégio gostava de se destacar. No baile tinha que dançar a primeira música, e com o garoto mais bonito. Esforçava-se para ter boas notas, mas também ser uma garota descolada que topasse cabular aula de vez em quando. Não quis ser a primeira nem a última a beijar de língua. A primeira transa foi ruim, mas ela disse às amigas que tinha sido tudo de bom. Gostaria de ter a mãe por perto para conversar sobre essas coisas. Como não tinha, teve muitas outras transas nem tão legais e acabou se acostumando. Talvez a mãe não pudesse ajudar.

Adélia deu a mão para o pai e com a outra puxou a mão de Eduardo. O pai a seguiu complacente. Foram os três para a sala, os dois de mãos dadas com a nova mandachuva do pedaço. Embora fosse impossível se livrar da situação ridícula, Eduardo precisava saber o desfecho da conversa.

— Ainda não sei qual é o favor, deputado.

O pai olhou para a filha, como quem pede autorização para continuar. Ela fez uma cara de repreensão, depois sorriu.

— O amigo de que lhe falei — começou o velho — é um homem em busca de paz de espírito.

O pedido de favorecimento ganhava assim um toque místico. O velho sabia fugir dos clichês. Ainda completou, com ares de generosidade e sabedoria. O deputado lhe passou um cartão do tal juiz e, baixando o tom de voz para escapar da reprovação da filha, disse que seria péssimo que ele se visse envolvido no inquérito de Aline Vega. Seu único crime tinha sido procurar aventura no Semelle's na noite fatídica.

— Afinal, quem somos nós para julgar? — completou.

— É... quem somos nós? — repetiu Eduardo, mecanicamente.

9. Poeira

A senhora de xale em volta do pescoço demorou um tempo para entender que a visita à sua porta era de uma agente policial. Tudo em dona Eurides soava arrastado: o fechar a porta, as duas voltas da chave no trinco, o andar torturado até a cadeira mais próxima. Luisa sentou-se em um sofá de dois lugares à frente dela, mesmo sem o convite educado de praxe. A policial olhou em torno. O que logo chamava a atenção era o desleixo do apartamento antigo. Louças acumulavam-se na pia, quadros tortos na parede, alguns tacos descolados do assoalho. No feixe da luz que passava por uma persiana quase fechada, a poeira dançava alegremente sem ser incomodada.

Na cabeceira de uma mesinha de madeira escura, ao lado, o retrato de Aline Vega. Ela devia ter menos de vinte anos, e pela primeira vez Luisa viu uma fotografia da ex-modelo que não fosse posada e sedutora. Um porta-retrato oval ao lado trazia uma foto em preto-e-branco de dona Eurides uns trinta anos mais jovem, de braços dados com um rapaz de bigodinho e terno claro.

— A senhora nunca quis ter outros filhos?

— Não — respondeu dona Eurides, sem a mínima disposição para entabular conversa. E nem para fingir.

Quantas vezes Luisa não presenciara a mais elementar reação quando as pessoas descobriam que o ente querido tinha sido assassinado! Qualquer descrição do crime é inútil, e quanto mais brutal a violência, mais as pessoas se deslocam para uma realidade imaginária e vazia de sentimento. Algumas dores são uma impossibilidade.

Luisa se surpreendeu quando dona Eurides foi até a janela e quebrou o silêncio.

— Os repórteres não saem daí da porta — disse, fechando a cortina. — Eles não sossegam enquanto não conseguem o depoimento de uma mãe triste. Só que eu te digo que não estou nem mais triste nem mais feliz do que estava na semana passada.

— É uma reação normal diante de um choque dessa natureza — respondeu a investigadora, mas logo em seguida se sentiu ridícula pelo chavão psicológico.

— Você veio saber o quê?

— Eu estou investigando o caso da sua filha — Luisa esperou por alguma reação, que não veio. — Por isso gostaria de saber se a senhora se lembra de alguma coisa que possa ajudar.

— Ajudar a quem?

Luisa não entendeu a pergunta. Dona Eurides não deu importância. O fio da memória foi puxado de forma tediosa, um relato monocórdio e sem emoção.

— Eu me lembro de muitas coisas. Uma vez, quando a Aline tinha quatro anos, me pediu para empurrá-la no balanço. Primeiro eu neguei, sem paciência, depois levei minha filha para se divertir. É que no balanço tinha um rapaz espetacular, um pai jovem e bonito, empurrando seu filho, da mesma idade da Aline. Por que não juntar os casais? Criança é bom que facilita puxar conversa. Eu era uma mulher desejada, não tanto quanto a minha filha. Desde que comecei a encontrar outros homens meu marido começou a me dar mais atenção. Ele sabia, mas não tinha coragem de reclamar porque teria que sair de casa. Até na hora de morrer meu marido foi patético.

Luisa quase se traiu quando dona Eurides fez uma pausa mais longa. Uma interrupção podia fazê-la desistir de prosseguir. Controlou-se, tentando sustentar um olhar de compreensão.

— Fiquei de conversa com o meu *dom juan* da tarde tediosa, que olhava para meu decote enquanto empurrava distraído o balanço do filho. Eu também ignorei os pedidos de Aline para empurrar mais forte ou mais lento. Quando o galã falou uma coisa qualquer sem a menor importância, mas que por algum motivo me deixou excitada, eu acabei perdendo a noção da força. Minha filha bateu os dentes na corrente do balanço antes de cair na grama. Ela usou gesso no braço por três semanas, e com uma boa dentista conseguimos dar um jeito no sorriso. Custou caro, mas nunca ninguém criticou o sorriso da minha filha. Eu nem consegui pegar o telefone do rapaz, nunca mais nos vimos. No hospital, a Aline perguntou quem era aquele amigo da mamãe, o que não me fez sentir culpada. Essas coisas acontecem. Ficou uma cicatriz. Na hora das fotos tinha que retocar. Aquela menina era muito boa para mim. Eu não era uma boa mãe, mas ajudava com os contratos. Qualquer um queria ter a beleza dela, até eu queria. Chegou uma hora em que os homens só olhavam para ela. Algumas semanas depois do dia do balanço dei a ela sem querer leite estragado e mais tarde a esqueci trancada no carro. Ela aprendeu a engolir o choro direitinho. Quando a gente tem um brinquedo de que gosta e ele quebra sem querer, dá vontade de fazer o serviço completo. Ninguém gosta de uma boneca quebrada. Essa é a minha confissão. Olha para mim. Você acha que eu já não tenho o que mereço?

A investigadora demorou para encontrar palavras. Teve vontade de orientar a mãe a lidar com a filha, sem perceber que a hipótese era ridícula: Aline Vega estava morta. Por um instante, pensou em Daniela. Sua filha precoce perambulava por aí fazendo Deus sabe o quê, mas chegava viva todas as noites. Dona Eurides não fizera uma confissão, mas estava querendo dizer alguma coisa. Luisa reprimiu a tendência para intuir. O lugar da intuição é na bolsa, espremida entre o batom e o absorvente: uma policial tem que trabalhar com sua formação — no caso de Luisa, formação com louvor — e o dedo no gatilho quando necessário.

Um relógio cuco soou. Tinha gosto de infância para Luisa; era um desses em que o passarinho de madeira sai contente por uma portinhola. Com gestos automatizados, dona Eurides se levantou e dirigiu-se aos cômodos.

Voltou depois de quinze minutos. Vestia uma calça colada nas pernas e uma blusa justa que deixava o umbigo de fora. Pernas e barriga de mulher que passara dos cinquenta, mas achava que estava com tudo no lugar. A senhorinha enrugada parecia se sentir uma moça, a maquiagem um tanto exagerada. Com a energia renovada, não fez cerimônia para sua visita.

— Agora vou ter que te mandar embora. Está na hora da minha aula de ginástica.

10. Justiça

A chegada diária à DHPP vinha exigindo boa dose de sacrifício e paciência. Havia a confusão natural da região da Luz, com seus ambulantes, lojas populares, hotéis antigos, a velha estação de trem e um ponto turístico batizado de Cracolândia pela fartura de pedras de *crack* que se consomem no local. Para complicar, agora a imprensa dava plantão na porta da polícia, e atacava qualquer investigador, escrivão e mesmo servente que entrasse ou saísse. Um ou outro policial ranzinza revidava os empurrões que recebia de repórteres e cinegrafistas; no dia seguinte a truculência virava notícia, e de nada adiantava reclamar que a provocação partira do outro lado.

Os ânimos internos ficavam cada vez mais irascíveis. O fogo consumia o pavio e estava prestes a chegar na dinamite. No fracasso, os ódios guardados fazem comício, reivindicam a palavra. O delegado Eduardo arrastava atrás de si uma equipe fiel aos seus comandos, mas disposta a questionar sua liderança à menor crise. A pressão vinha como se estivesse em um tiroteio de facções rivais e ele estivesse no meio. A falta de respostas deixava impacientes desde o governador — cobrado pelos adversários pela ineficiência de sua polícia — até a tal sociedade, essa massa sem rosto que aguardava na arena o assassino ser jogado aos leões. O secretário de segurança fazia pose, falava duro, embora no departamento até a moça da cantina soubesse que nos tempos de polícia não era de sujar o terno. O doutor secretário afundava-se no trabalho burocrático para fugir das diligências.

Outro visitante que gostava de aparecer para o café na hora da crise chamava-se racismo. Agora, a cada ordem, Eduardo podia ler na expressão de seu interlocutor que na primeira chance colocaria aquele crioulo em seu devido lugar. Nas rondas, Eduardo cansou de ver colegas saltarem do carro para dar uma geral no cidadão com "atitude suspeita". A atitude suspeita era ser negro. Ele mesmo, já delegado, à paisana tomava as suas batidas, e o tempo para tirar a credencial do bolso era suficiente para o policial truculento tornar-se uma moça do colégio Sion. Só uma vez um guarda novato teve a ousadia de expor a lógica: — O senhor há de convir, doutor, que tem mais negro pobre e que tem mais pobre bandido. Então, tem mais negro bandido. Por escolher outros critérios, insinuações garantiam que Eduardo protegia os da sua raça, e que mais de uma vez hesitou nas investigações quando o principal suspeito era negro.

A estampa repulsiva de Silas Baroni dava as caras todo dia na mídia. No *Correio da Noite* ganhou capa, com pose de herói da liberdade. O empresário da noite estabelecera que em todo 12 de junho a memória de Aline Vega seria reverenciada no Semelle's, como a namoradinha morta do Brasil. Uma homenagem de mau gosto, que enchia ainda mais o seu estabelecimento. Batidas da polícia civil e até federal no passado mais de uma vez deram em nada. Baroni era defendido por um dos maiores criminalistas do país, ex-ministro da Justiça. A ala progressista da sociedade estava ao seu lado, clamando para que se punisse o verdadeiro assassino, e não o dono do bordel.

Fora o escandaloso aparato legal que sabotava as investigações, Eduardo encontrou em torno do Semelle's um rigoroso pacto de silêncio. A máfia não seria tão discreta. A falta de pistas só foi rompida involuntariamente pelo seu zeloso futuro sogro na tentativa de proteger seu amigo, o juiz federal perturbado pelos seus crimes carnais imaginários.

Os ingredientes do crime atiçavam a imaginação pública. O debate colocou na posição de ré a própria assassinada. Juízes por todo o canto bebiam nos bares, puxavam assunto nos elevadores, jogavam conversa fora no sacolejar dos ônibus, matavam o tempo no escritório. A acusação alegava que a única diferença entre o *strip tease* e a prostituição é que uma se faz na vertical, e outra na horizontal. Os moderninhos defendiam e argumentavam que se tratava de um trabalho como outro qualquer, e que todo julgamento moral é imoral. Os promotores tomavam seu gole de cerveja e rebatiam com uma expressão de sarcasmo. Aline Vega transformara-se de criança inocente em profissional da perversão; não desejavam destino tão trágico, ressalvavam, mas ela colheu o que plantou.

No DHPP o que se pensava a respeito é que precisavam encontrar um suspeito, ainda que vago, para que o time pudesse pelo menos chutar uma bola na trave e animar a torcida.

Se havia algo que incomodava Eduardo, era ficar prostrado atrás de uma mesa. Seu trabalho estava nas ruas, mas em qualquer investigação havia horas em que a brincadeira ficava sem graça. Três Pês passou com um detido sem camisa, tão magro, que poderia substituir o esqueleto nas aulas de ciências das escolas públicas. O policial dava-lhe tapas na cabeça e gritava desaforos no ouvido. Era um jeito de mostrar serviço, já que corria o rumor de que cabeças iriam rolar. Pelo mesmo motivo, Tavares fingia digitar coisas importantes, escondido atrás da tela do seu computador, que por sorte ficava virada para a parede. Luisa era a mais discreta da equipe; temia que sua linha investigativa fosse acusada de inconsistência, e não queria ter de dar razão para a ala masculina da delegacia, amplamente majoritária.

Vez ou outra Eduardo recebia tapinhas motivacionais nas costas — "a gente vai pegar o sujeito, doutor" — palavras proferidas por policiais que não tinham remota ideia de como fazer isso. Horácio dispensava essas formalidades. Investigador mais velho da casa e notório detrator da capacidade do delegado titular, Horácio entrou na sala do chefe jogando a isca para o bate-boca.

— E aí, doutor, quem matou Aline Vega? Se fosse novela era só esperar o último capítulo.

— Seu sócio não lhe passou nenhuma barbada? — devolveu Eduardo sem levantar os olhos. Não era segredo nenhum que seu investigador vivia enfiado no bordel de um delinquente.

— O Baroni gosta de sacanagem, não de sangue. Você tentou enquadrar o cara e o que adiantou? Teve que engolir o *habeas corpus* e o vexame.

— Se você não protegesse suspeitos, as coisas ficariam mais fáceis.

— Eu protejo suspeitos?

Horácio lançou a pergunta e deixou o silêncio fazer o resto. Eduardo teve dúvida se ele sabia que o delegado titular estava evitando interrogar o juiz federal que estava no Semelle's. Como ele poderia ter obtido a informação? O golpe atingiu em cheio os nervos de Eduardo, que atirou no chão os objetos que estavam sobre um arquivo de metal.

— Cuidado com o que você fala. Você ainda nem decidiu se quer ser polícia ou bandido.

Horácio sabia que era o momento de não alterar a voz. O adversário estava acuado. O contra-ataque foi sereno e calculado.

— Eu conheço bandido, doutor — e fez uma pausa na sua confissão antes de expor seus princípios. — Não dá para fazer justiça sentado atrás de escrivaninha; tem que se enfiar em buraco de rato.

Justiça. O currículo do mestre era impecável: Horácio perdera a conta de quantos abusos de autoridade assinara; a corregedoria costumava ter trabalho para arquivar as denúncias contra ele. Eduardo não estava com paciência para mais um debate "justiça com as próprias mãos". Seu investigador mais experiente realmente acreditava que confraternizar com traficantes não era problema, desde que fosse para grampear o chefe da boca inimiga. Que trocar afagos com um assassino era um bom método para produzir provas contra ele. Só faltava aceitar o convite para o churrasco anual da Confederação Nacional do Latrocínio. Horácio, por sua vez, lamentava que a ingenuidade chegasse aos cargos de poder. Para ele, o chefe ostentava razões justas num mundo injusto, valores ordenados em uma realidade caótica. Essa era a miopia fundamental. É na lama que se deve extirpar as raízes do crime.

De qualquer forma, não foi a velha polêmica que insuflou os ânimos, mas o modo como Eduardo tentou pôr fim à conversa.

— Guarde suas teorias para o jornal. Eu tenho mais o que fazer.

Horácio interpretou que agora sim falavam do verdadeiro problema. O exemplar do *Correio da Noite* estava amassado no cesto de lixo.

— Entendi. Não sabia que só você podia aparecer.

— Aparecer? — respondeu Eduardo, com voz alterada e desamassando o jornal. — "O experiente investigador Horácio Pereira admite que a Polícia Civil não tem pistas do assassino". Bela maneira de aparecer. Um fracassado consciente.

— Esse pessoal publica só o que eles querem.

— Você não disse o que está escrito aqui?

— Não com essas palavras. Eu menti por acaso?

— Não, foi uma colaboração e tanto. Para o assassino, que deve estar rindo a essa hora.

— Alguém tem que encarar a vida de forma positiva.

O delegado empurrou a mesa e encarou o insubordinado. Não era a primeira vez em que quase resolviam as coisas pelo método primitivo. Por isso, quando Três Pês entrou arrastando um adolescente pela camisa, eles nem desviaram o olhar. Gabriel tinha o corpo retesado pelo susto. E para tentar se desviar das cusparadas involuntárias do policial que berrava na sua cara.

— Anda, vagabundo! Fala *pro* doutor o que você me disse lá fora.

A resposta trêmula e quase inaudível, enfim, encerrou mais um debate sobre justiça na DHPP.

— Eu... matei... a Aline.

11. Torneira

O sobrado pintado de amarelo-claro tinha várias janelinhas no andar superior, protegidas por toldos verdes que atiçavam a imaginação da vizinhança. Do outro lado da rua, de óculos escuros e uma boina que lhe dava um charme francês, Luisa folheava uma revista feminina sem prestar atenção. Tentando parecer casual, fez um comentário ao jornaleiro sobre a fachada da casa, que trazia o número 781 pregado bem grande na entrada e mais nenhuma informação visual. De quando em quando mulheres entravam e saíam, mas nenhuma placa indicava se prestavam serviços de manicure, massagem, aulas de Pilates ou coisas assim. A única resposta do jornaleiro foi um sorriso por trás dos fartos bigodes de leão-marinho, e pela feição estranha que adquiriu dava para concluir que havia decidido largar o sorriso havia pelo menos vinte anos.

Instantes antes dona Eurides tocara a campainha com mais um de seus modelitos joviais. Calça curta que deixava canelas à mostra e camiseta com uma estampa engraçadinha. Pelo modo com que foi entrando assim a porta se abriu percebia-se logo que a senhorinha já era *habitué* do lugar.

— Vai levar a revista? — perguntou o leão-marinho com seu baixo-astral contagiante. Luisa ensaiou tirar dinheiro da bolsa, mas logo considerou absurdo fazer caridade ao *mister* antipatia. Largou a revista sobre a bancada e atravessou a rua, decidida.

Cada passo a fazia avançar na sua linha de investigação. Luisa vasculhou o passado da família de Aline Vega, e não precisou cavar muito para encontrar mais cadáveres: a ex-modelo pode ter seguido a vocação do pai como vítima de crime bárbaro.

A ficha de Leopoldo Vega era de homem sóbrio, de atitudes discretas e protocolares, gerente capacitado de uma empresa de cimento, cioso dos seus deveres e do cartão de ponto, que sustentava a família classe média com honra e dignidade. O patrão e os poucos colegas notaram que esse comportamento mudara nos últimos meses de vida. Esquecia-se dos relatórios e passou a cheirar bebida. Sobre sua vida particular não falava. Era o único, porque em torno de sua vida todos comentavam a humilhação que sofria da esposa. Eurides tinha sido discreta no início, mas logo passou a considerar que o marido era um estorvo para suas paixões repentinas. Leopoldo tornava-se mais perturbado à medida que sua covardia aumentava. Em pouco tempo tornou-se uma pessoa com atitudes e pensamentos desconexos, uma pessoa que percebia sua vida pálida se desmanchar.

A morte encontrou Leopoldo Vega num dia particularmente infeliz. Ao entrar em casa tarde da noite, a esposa se desvencilhou no susto de um rapaz com quem dividia o sofá. O garotão tinha músculos definidos e um rosto imberbe; de fato, ainda faltavam dois meses para completar dezoito anos. Como Eurides estava impaciente para explicações e o marido sem ânimo para conflitos, ele simplesmente subiu as escadas em silêncio. O mais constrangido da história parecia ser o amante, rapaz menor de idade que via na fogosa mulher mais velha um item importante no seu currículo. E um dinheirinho de vez em quando. Leopoldo, antes de vestir o pijama, passou pelo quarto da filha. Ao abrir uma fresta da porta viu Aline deitada na cama com fones de ouvido, de costas para ele. Sentiu vontade de pegar no colo a filha pequena, mas sua fragilidade era bem maior que a da garota de sete anos. A filha era bonita e quieta, e o pai não a chamava de princesinha porque não se sentia à vontade com colo, cafuné, frases infantis, essas coisas.

O que aconteceu dali para a frente virou inquérito de polícia e fofoca da vizinhança. De madrugada as janelas das casas foram invadidas pelas luzes giratórias das sirenes. Leopoldo Vega foi encontrado afogado na banheira; seu corpo pequeno parecia o de uma criança repousando.

É claro que a hipótese de suicídio defendida por dona Eurides foi tomada por escárnio. O marido teria de ter ele mesmo amarrado as mãos e os pés com uma faixa de gaze tirada do armarinho. No tribunal, peritos disseram que ninguém se afoga voluntariamente — há um momento em que o instinto decide conter a estupidez, quando o suicida tira a cabeça da água quase sem fôlego e descobre que teve uma ideia imbecil. Daí Leopoldo ter dado um jeito de imobilizar pernas e braços. "Certo", rebateu na hora o promotor, "mas quem abriu a torneira"?

O promotor pedia cana pesada para os suspeitos óbvios, a esposa adúltera e o amante, que afogaram o marido e ainda tentaram colocar a culpa no próprio. Foi um daqueles casos frustrantes em que não há condenação por falta de provas conclusivas, enquanto todo mundo sabia quem havia sido o criminoso. A viúva-negra, como ficou conhecida dona Eurides, mudou de bairro e nunca mais tocou no assunto, nem com a filha nem com mais ninguém.

Assim que a recepcionista abriu a porta do falado sobrado 781, Luisa tratou de parecer mais envergonhada e nervosa do que já estava. A recepcionista bem treinada logo abriu o sorriso de deixar pessoas à vontade.

— Não se preocupe. Tudo o que as nossas clientes querem é discrição.

O *hall* de entrada tinha um tapete violeta e cheirava fragrância doce. Vinha de algum produto que deixavam nos castiçais e que se espalhavam com o fogo das velas. A ideia era promover um ambiente requintando. Uma escada acarpetada subia e outra do lado oposto descia. O corrimão já estava um tanto descascado, e no teto uma ou outra mancha na pintura indicava infiltração. Ali onde estava, Luisa não conseguia ver mais do que isso, pois uma cortina de linho na parede lateral separava o *hall* de entrada do resto da casa. Uma música clássica soava em tom ambiente. Atrás de um balcão com telefone, computador e máquinas de cartão de crédito, a recepcionista passou as instruções.

— O pagamento você pode fazer no final. Aceitamos todos os tipos de cartão. Na fatura vai aparecer "Netuno Presentes". Não precisamos da sua identidade, nada. A única coisa que queremos das nossas clientes é que elas se sintam realizadas. Você já conhece o esquema da casa?

Atrás da cortina, Luisa encontrou uma sala pouco iluminada por pequenas lâmpadas violetas. Melhor, para quem queria passar despercebida. Entre as poucas mulheres que se sentavam sozinhas ou em duplas em sofás e poltronas, não estava a mãe de Aline Vega. Elas pouco falavam, e a chegada da nova visita não causou nenhuma reação especial.

O lugar se pretendia sofisticado, mas as manchas na poltrona em que Luisa se sentou, um ou outro taco de madeira solto no piso e um toque vulgar da decoração sugeriam que qualquer que fosse o serviço oferecido ali, não devia ser dos mais caros.

Instantes depois de a investigadora se acomodar, ainda sem encostar na poltrona, corpo rígido, um rapaz de *jeans* e sem camisa aproximou-se e lhe estendeu a mão. Apresentou-se como Renato e beijou a mão de Luisa, num gesto elegante e ultrapassado. Mais nada. Logo em seguida se retirou, exibindo suas costas com uma tatuagem de dragão. Em seguida veio outro, apenas enrolado em uma toalha na cintura. Parecia ter ascendência oriental, se apresentou como Davi e também se mandou.

A policial ainda conheceu um Marcelo, cabelo castanho encaracolado, olhos claros; um Rogério, baixinho e atarracado, com sotaque nordestino, e um mais ousado que entrou na sala completamente nu. As outras mulheres do ambiente deram risinhos, ficaram envergonhadas, mas não tiraram os olhos. Ele se apresentou como Adão, sem nenhuma afetação irônica na voz.

Ao contrário dos outros, Adão demorou para soltar a mão de Luisa do meio das suas. Por longos instantes ficou alisando o dorso da mão e o antebraço, com os olhos fixos no rosto dela, um olhar supostamente penetrante.

— Eu posso te dar prazer. Quer?

Ninguém haveria de negar que um inferninho *for women* não fosse um conceito diferenciado. Direitos iguais. Os garotões se exibiam um a um e à cliente só cabia decidir e subir para os quartos. Como escolher a marca de cosmético da prateleira.

Agora Luisa estava frente a frente com mais um sujeito com testosterona no lugar de neurônios, como os valentes da delegacia. Até ali tinha trabalhado sozinha, e pretendia continuar assim.

O inquérito sobre a morte de Leopoldo Vega encontrava-se na sétima gaveta, contando de cima, do quarto corredor à direita de quem entra na grande sala de registros do Departamento de Homicídios. Era um dos muitos que tinha em sua capa um adesivo de arquivado, que na linguagem do cafezinho significava "mais um bandido que a Justiça deixou na rua". Não houve indiciados, portanto valeu a tese de suicídio. O crime era de um tempo em que a polícia contava com pouca ciência e muito *feeling*. Investigadores das antigas, como Horácio, compraziam-se em solucionar casos no bar da esquina, entre goles de café forte e sanduíches de mortadela. Os da velha guarda adoravam falar dos tempos românticos, descrevendo o crime quase como uma obra de arte. A nostalgia incomodava o espírito prático da jovem Luisa. Para ela, quanto menos o sentimento interferir, mais eficiente será o serviço.

No pé de uma página amarelada de jornal, a foto da menina Aline Vega. Por costume, ela sorria para a câmera, mesmo sentada no banco duro de madeira na ante-sala do tribunal onde se julgava a morte do pai. A garotinha dos comerciais agora ocupava os noticiários como centro da disputa entre acusação e defesa. A promotoria queria ouvi-la, a lei restringia.

Garantia o promotor que na noite do crime ela deixara de lado os fones de ouvido e descera as escadas da casa. Sons mais altos que o novo *hit* de um grupo de garotos porto-riquenhos teriam lhe chamado a atenção. A menina presenciara o afogamento do pai pelo garoto de programa particular da mãe, sob os gritos de incentivo dela. A prova — e o promotor abusava do recurso teatral exibindo uma fotografia bem ampliada para sua plateia — ficara escrita no espelhinho do banheiro. Sobre o vapor deixado pela água quente, estava escrito "mergulho", em letra infantil caprichada, com as perninhas do M e a curva final do O bem pronunciadas. Na sua ânsia assassina, Eurides e seu amante nem perceberam que atrás de si a filha assistira à cena, subira num banquinho e registrara suas impressões na primeira coisa parecida com um papel.

Após uma disputa pesada, Aline Vega foi chamada pelo juiz. Virou estrela nacional. A multidão se acotovelava à frente do tribunal, com câmeras, rezas, choros e gritos de incentivo à garotinha. Ela era a principal vítima, perdera o pai para a morte e a mãe para a cadeia. As tevês tentaram invadir a sala de depoimentos, houve confusão e empurra-empurra. Aline Vega era admirada por sua força, capaz de suportar nos ombros o sangue de uma família esfacelada. A moça que entrava na vida adulta a fórceps. E, diziam, carregaria as marcas daqueles dias para o resto de sua vida.

Aline Vega não chorou na frente do juiz. Sentia-se assustada, mas tinha uma fitinha no cabelo e respondeu a tudo com ênfases e pausas, como se enunciasse um texto decorado. Ou como se divertisse com toda a atenção voltada para ela. Na hora da pergunta decisiva afirmou que mamãe não estava no banheiro, e que o papai quase nunca brincava com ela. Mais o promotor não conseguiu arrancar porque a menina ficou nervosa e o juiz atendeu aos apelos da assistente social, considerando-se satisfeito com o depoimento.

O sujeito nu ainda não tinha desistido de Luisa. Caprichava nos elogios ensaiados sem perceber que a cliente tinha a atenção vaga. O argumento infalível foi a prova do seu poder de ereção, segundo ele só por imaginar as coisas loucas que poderiam fazer no quarto. Bastava subir a escada lateral para atingir patamares de prazer inesquecíveis.

Luisa alegou nervosismo para ganhar tempo. Outras clientes já tinham se decidido e subiam com seus rapazes. Mulheres práticas e sem dívida com ninguém — a investigadora chegou mesmo a admirá-las. Enquanto Adão ganhava confiança e arriscava uns agrados no seu pescoço, Luisa olhava em volta em busca de sinais de dona Eurides.

Um par de pernas apareceu nas escadas. Em seguida, a sunga, o abdome definido, o peito depilado e a figura inteira de um dos garotos de programa da casa. Um êxtase tomou conta da policial; não erótico, mas sim o frêmito do compositor que encontra a nota certa ou do cientista que descobre uma nova fórmula. O garoto tinha os mesmos traços de garoto imberbe e desamparado, agora mais masculinizado, as mesmas sobrancelhas grossas que adornavam olhos escuros e caídos, criando um olhar que parecia estar sempre na sombra, o mesmo físico bem esculpido em horas inúteis gastas na academia. Não havia dúvidas: apesar dos quase vinte anos a mais, na escada estava o amante da mãe de Aline Vega, tão exposto nas fotografias dos jornais da época.

Luisa escondeu-se atrás do corpo do seu *dom juan* pornográfico, o que fez com que ele arriscasse puxões de leve nos seus cabelos. Num sussurro ele disse que a queria mais do que tudo.

Na escada, dona Eurides surgiu atrevida e puxou a mão do seu garoto de programa para seus seios.

12. Branco

— Me conta com todos os detalhes. Você viu a moça saindo da boate e encostou o carro do lado dela. E depois disso?

Devia ser a vigésima vez que Eduardo fazia a mesma pergunta a Gabriel. O tom era compreensivo, quase paternal, como se não tivesse registrado nada de todos os relatos anteriores. Algumas vezes o delegado titular formulava a introdução de uma maneira diferente, omitindo ou modificando o que o rapaz tinha dito no depoimento. Um teste para os nervos em que o mais fraco perde. Gabriel ouvia a indagação cansado, cabeça baixa, tinha uma fantasia remota de puxar pelos colarinhos aquele policial estúpido. A cadeira era desconfortável, a sala de pouco mais de três metros quadrados dava sensação de sufocamento. Assim que começou a responder, com as mesmas palavras que pareciam cada vez mais gastas, Horácio interrompeu, grosseiro.

— Fala mais alto, malvadão — era o apelido com que o mestre tinha batizado o réu confesso.

E então Gabriel contou a história toda outra vez. Alguns detalhes que pareciam vitais aos seus algozes ele alegava não se lembrar, como ter ligado ou não o rádio do carro, se Aline usava meias por baixo das botas, as palavras exatas que ela tinha usado como negativa para entrar no carro, antes de mudar de ideia. Apesar de assustado, Gabriel mantinha-se alheio ao pânico que o sondava.

As respostas cadenciadas e quase iguais umas às outras na verdade jogavam mais suspeitas sobre a confissão. O mentiroso carrega na sua mentira como quem decora a matéria para uma prova — ele não entende o sentido geral do que está contando, por isso precisa de um *script* sólido em sua mente. Quem é injustamente acusado, ao contrário, se desespera, perde o juízo, expressa sua indignação com escândalo.

As palavras do garoto encaixavam-se na versão um da psicopatia. Os investigadores da Civil sabiam que não precisavam de mais de dois arquivos para catalogar esse tipo de crime. O "deu branco" ficava na primeira gaveta. O assassino garantia que sempre fora sociável, amistoso, ponderado, sem rompantes, e numa esquina da vida, como num batismo conduzido pelo demônio em pessoa, recebia o dom de matar. Então fazia o serviço, mas a memória cessava com a crueldade. A partir de então não lembrava de mais nada, e mal podia compreender o que aquele corpo decepado fazia estirado na sua cozinha. O "deu branco" já tinha atenuado a pena de talentosos assassinos.

A segunda gaveta guardava os crimes "uma voz que fica martelando na minha cabeça". Estes eram criminosos mais sofisticados, que garantiam que dentro deles vivia um inquilino repulsivo, alguém que eles queriam expulsar, mas não tinha jeito porque pagava o aluguel em dia. Este outro *eu* era daqueles que só têm um assunto: repetir dia e noite que a humanidade não presta e pedir vingança. Com isso o cidadão pacato ia se convencendo por cansaço, e logo via pessoas que o sacaneavam, o humilhavam, o torturavam por todos os lados. Do jardim-de-infância ao atual patrão todos eram os criminosos. O assassino da voz martelando na cabeça se julgava, por isso, a vítima.

A história do garoto imberbe era do primeiro time. Em seu depoimento, Gabriel afirmou que passeava de carro sem nada melhor para fazer, na região dos inferninhos, quando viu Aline Vega saindo da boate e a reconheceu. Consciente de que uma oportunidade dessas não acontece duas vezes na vida, superou seus medos e encostou ao lado dela no ponto de táxi. Ofereceu uma carona, ela respondeu "nem te conheço", ele argumentou que era boa gente, tinha cara de boa gente, como poderia fazer mal a alguém? Ela sorriu, o sorriso era meio caminho andando. Um pouco mais de conversa e o táxi que não vinha fizeram a garota entrar no carro.

Ela deu o endereço e falou pouco durante todo o trajeto, ele não lembra se ligou o rádio. Estava sem assunto. Aline percebeu que estavam dando voltas sem destino, quando pela terceira vez passaram por baixo do viaduto da Vereador José Diniz. Ela começou a reclamar, as palavras eram duras, Gabriel achou injusto, quase humilhante. A partir daí tudo ficou confuso. Estava careta, mas a garota começou a falar sem parar e ele cada vez mais alterado. Nunca fica alterado, mas não entendia por que ela começou a tratá-lo tão mal. O bate-boca só parou quando ele acertou firme na cara dela. Nunca tinha batido em ninguém; ao contrário, tinha baixado a cabeça mais vezes do que devia. Sobrou o silêncio, só quebrado pela música do rádio. Aline Vega estava desmaiada, ou morta, não sabia bem. Ele encostou, senão iria acabar batendo o carro e o pai descobriria que ele o tirara da garagem sem autorização. Estava debaixo de um viaduto sinistro, a ideia era deixar a menina jogada por ali e na manhã seguinte ela que se virasse — não lembraria de muita coisa e felizmente nem perguntara seu nome. Quando largou o corpo estendido na escuridão, tudo que se lembra é das lindas pernas da mulher que ele admirava tanto, dava para ver até a calcinha, era tudo muito louco, nem podia acreditar que estava vivendo aquela experiência. Aí deu branco, emoção demais.

— Você trepou com o cadáver?

A disposição de Horácio era pular direto paro capítulo das sujeiras mais pesadas. Gabriel não entendeu; pela primeira vez levantou a cabeça e cruzou o olhar com o do investigador — seus olhos pareciam lhe apontar facas afiadas. Ele acabara de dizer que não se lembrava de nada, mas o policial parecia disposto a aplicar uma espécie de hipnose na porrada. O soco na mesa assustou o interrogado, e toda a reação de Eduardo consistiu em pedir calma ao colega sem a mínima convicção.

Horácio agora estava tão próximo do moleque assustado, que o hálito de café e cigarro quase o entorpecia.

— O IML garante que teve sexo, só não diz se tinha ou não sangue correndo na veia. Me diz, estou curioso: você sentiu ela um pouco fria?

— Eu... — Gabriel fez a pausa, mas logo desistiu de complementar com alguma coisa interessante. — ... eu não sei.

— Sabe, sim. Conta pra gente como que é. Dá pra sentir o espírito indo embora do corpo? Aposto que isso te deixou mais excitado. Como é o cheiro do sangue escorrendo pela garganta? O barulho da traqueia rasgando igual um papel?

Os detalhes mórbidos, era isso que o investigador cobrava de Gabriel. Tudo que ele conseguia responder eram seguidos "eu não sei", trêmulo, calculando a hora em que tomaria uma bofetada.

— Você não matou ninguém. Confessa — interveio Eduardo, afastando o colega. Tão logo disse aquilo percebeu o ridículo da situação: tudo que exigia era uma confissão ao contrário. Uma palavra de inocência daquele estorvo bastaria para lhe darem um corretivo e tratarem de assuntos mais sérios.

— Eu matei a Aline. Fui eu, juro.

— E você diz isso com essa voz de menininha? — disse Horácio em cima, na base do berro. — Você é muito delicado pra matar alguém.

Eduardo insistia em manter alguma lucidez:

— Você *tá* procurando fama, *né* garoto? Por que você não vai descobrir uma vacina, escrever um livro ou salvar os golfinhos? Vai ser famoso com alguma coisa útil!

— Agora todo mundo acha bonito ser bandido — completou Horácio. — Aí um puto desses para no jornal e começa a aparecer um monte de assassino de ex-famosa. Um dá a ideia e o resto vai no embalo. Depois sobra pra gente varrer o lixo da festa.

Eduardo se aproximou da cadeira de Gabriel, na tentativa de um ultimato. Contou ao garoto, da maneira mais elegante que pôde, que no abrigo de menores a brincadeira não costuma ser bater figurinha ou empinar pipa. E que seria impossível garantir-lhe a integridade, já que o Departamento de Homicídios não tinha esse nome pra proteger homicidas. O detetive ainda perguntou se Gabriel concordava. Teve como resposta um meneio com a cabeça, hesitante.

De novo o adolescente voltou à sua catatonia, com olhar no vazio, boca entreaberta, como se estivesse dopado. O delegado titular Eduardo e o investigador Horácio trocaram olhares pensando no próximo passo. Se recebesse uma autorização do chefe, Horácio talvez esbofeteasse o garoto ali mesmo; trabalho profissional, sem mesquinharia de dor e violência, mas preparando o interrogado para que ele passasse com louvor no exame de corpo de delito. Fazia um bom tempo que Horácio não se divertia tanto: a tortura andava em baixa.

De qualquer forma era um homem que sabia se adaptar aos novos tempos. Horácio levantou-se e se dirigiu à porta da saleta, estudando a sua vítima. Ao ouvir o ranger do portão de ferro se abrindo, Gabriel tirou os olhos do chão. Estava lá a expressão de medo que nunca conseguia se esconder; a mesma que Horácio conhecera em anos de interrogatórios; uns oficiais, outros nem tanto.

A porta se fechou com um estrondo. Eduardo não perguntou onde o subordinado tinha ido — o gesto era nitidamente parte de um plano que ele não sabia exatamente qual. Sentiu, no entanto, que poderia quebrar a rotina do interrogatório. Ele estava lá para garantir que não passaria da fronteira da legalidade, procedimento que a Polícia Civil não descumpria na gestão de Eduardo.

A ausência do investigador casca-grossa, em vez de acalmar Gabriel, o deixou ainda mais agitado. Ele balançava a perna direita para cima e para baixo, sem parar, como se um motor tivesse sido ligado a ela. O garoto logo imaginou seus dentes arrancados com alicate, os pequenos ossos dos seus dedos esmigalhados com marteladas, fios desencapados amarrados nos seus genitais;

calculou assim o terror que seria ficar impotente antes de perder a virgindade. Tanto esforço em vão. Estava muito longe de ser um herói, mal suportava uma dor de dente. Ajeitando a cadeira estrategicamente à sua frente, o policial negro assegurou que se tinha algo a falar, aquele era o momento. Gabriel de novo hesitou. Iria denunciar a tortura bárbara — se sobrevivesse, claro. Durante seu mutismo o policial grisalho voltou. Com ele, um caixote de feira e muito, muito barulho.

13. Salto

Abordar um homem não era algo que Luisa fizesse com naturalidade. Ela detestava admitir que nessa hora faltava-lhe feminilidade. Sentia-se desconfortável em atirar torpedos com o olhar, em vestir roupas provocantes, em exibir-se para depois fingir indiferença. Era uma mulher bonita que jamais aprendera a usar isso a seu favor; faltava-lhe malícia. Ainda mais em um barzinho onde todos os clientes eram mais jovens que ela. Rapazes de camiseta justa, de ombros exibidos, garotas na moda com roupas curtas, risos soltos e promessas de sexo no ar. Luisa perguntou-se se sua filha frequentaria um lugar daqueles. Logo Luisa tornou-se a mãe vigiando a filha, que poderia ser qualquer uma daquelas meninas. Sentiu-se ainda mais mãe e menos mulher. Péssimo para quem tentava ser uma mulher liberal e atirada, de gestos seguros e voz envolvente.

A investigadora trocara o uniforme por uma saia talvez curta demais, blusa leve sem sutiã, o perfume que havia tempos não saía da gaveta, salto alto que dificultava o equilíbrio. Aproveitou o som alto para se soltar um pouco, mexer o corpo. Tinha de se sentir atraente, era a parte boa da brincadeira.

O rapaz estava na sua mira, conversando com um grupo de amigos. Um cara que certamente adoraria conhecer uma mulher mais experiente, loba da noite, desquitada e disposta a viver a vida. Ele já tinha reparado nela, um olhar discreto, nada que configurasse um flerte. Se bem que Luisa nem tinha certeza se ainda se flertava. Ir até ele e pedir fogo era muito clichê. Esbarrar e deixar no rastro um olhar sedutor, muito vulgar.

Abordar um homem nunca tinha sido seu forte. Desde a escola, era séria, reservada, mesmo interessada metia medo nos pretendentes. Tivera uma relação afetiva que descobriu ser um engano em pouco tempo. Engravidou logo, mãe solteira, o pai aparecia para visitar só quando estava deprimido. Luisa não se apaixonava com facilidade; nem sabia se já tinha se apaixonado alguma vez. Precisava preencher sua vida. Preencheu com cadáveres, crimes e sangue.

Abordar um homem não lhe era natural, e para piorar estava fora de forma. O desafio era imenso. Ainda mais que o homem do seu interesse podia ser um assassino.

Luisa deixou seu copo de vinho sobre o balcão depois de um último gole, charmosamente calculado. Depois caminhou em direção à sua vítima; seus passos decididos quase ficaram comprometidos pelo salto que ameaçou dobrar-se sobre o piso. Era inédita a sensação de sentir pelos cantos dos olhos que as pessoas reparavam nela.

O garoto de programa particular de dona Eurides estava alheio à conversa fútil dos amigos. Todos ingênuos começando a entender a vida. Ainda assim, preferia censurar o comportamento deles do que perguntar-se por que continuava andando com moleques que tinham metade da sua idade. Ainda seguro do seu corpo e muito mais experimentado, já parecia ter um plano em vista quando a mulher de cabelos curtos dirigia-se a ele com olhar matador. Melhor para Luisa, que não tinha certeza do que fazer quando chegasse perto dele, como o atacante que corre para o pênalti sem saber de que lado vai chutar.

A investigação de Luisa começava a fazer sentido. Para alívio dela, que suportava de forma estoica os comentários no departamento de que andava alheia ao caso Aline Vega. Se fosse ela a desvendar o caso que desafiava a polícia, seu maior prêmio seria uma ou outra frase cortante enquanto a fila dos imbecis a cumprimentasse. Humilhação tão sutil que alguns nem iam entender. Daí a sua felicidade quando descobriu que o garoto de programa de dona Eurides ainda prestava seus serviços e, mais ainda, que o bordel *for women* que a senhorinha frequentava pertencia à franquia de Silas Baroni. Um empresário de visão, não havia dúvidas. Fazia sentido a suspeita de que o garotão ali à sua frente poderia ter estado na festinha do Semelle's na noite do crime, dividindo espaço com a filha de Leopoldo Vega. Uma coincidência macabra: a menina se re-encontrando com o amigo da mamãe que afogara o papai.

Tudo o que precisava garantir era algum tipo de intimidade. O puro-sangue cheio de confiança não podia fugir; daquele prostituto insignificante podia surgir a solução da morte de Aline Vega.

No caminho, Luisa desviou o olhar. Ficou sem graça, não deveria. Uma voz dentro dela pedia sangue-frio, enquanto alguma rebelião de neurotransmissores descarregava impulsos elétricos no corpo, na tentativa de criar o caos. A investigadora seguia em frente tentando disfarçar os arrepios nas pernas e nos braços. Ela pedia licença entre os amigos dos garotos de programa. Um deles mal abriu passagem, o que a obrigou a passar apertado, com um contato corporal mais íntimo do que muitos casais já tiveram. Luisa usou as mãos para conseguir um pouco de espaço, já sentindo alguma espécie de fobia a homens entusiasmados. A providência veio então em seu socorro. Nas mãos nervosas sentiu o corpo do garoto de programa. Ele era o último da fila, espécie de prêmio para a mulher que passasse ilesa pelos outros. As mãos de Luisa tocaram o peito do rapaz, e na falta de um plano alternativo ela repreendeu rápido o encontro e pediu licença. As ideias estavam confusas, o plano tinha chegado ao fim de forma vergonhosa. Luisa precisava de uma porta de saída, um pouco de ar em meio àquela guerra de música eletrônica, gelo seco e gente delirando.

Uma mão forte interrompeu a caminhada. Ele a segurou pelo antebraço e virou para si com confiança. Um profissional em ação. Agora o garoto de programa tinha a boca grudada à pele do rosto de Luisa. Seu estilo sedutor clichê era favorecido pela voz grave:

— Vou te levar para outro lugar.

14. Crista

O galo se agitava como se alguém tivesse lhe ateado fogo, logo após ter sido picado por um escorpião. As penas sacudiam eriçadas, os sons eram gritos de raiva e pavor. Assim que Horácio largou o caixote de feira no chão, o bicho saltou para fora e se debateu contra as paredes. Arriscava voos, corria para o lado oposto para de novo dar de cara na parede, pulava para cima de Eduardo que se desviava como podia. Se o galo adotava o instinto animal de atacar na hora do perigo, Gabriel seguia o instinto humano de congelar. O galo aproveita para agredir o garoto com bicadas fortes, sentindo o medo que lhe saía pelos poros.

Nem o delegado titular, acostumado com os métodos nada tradicionais de seu investigador mais indisciplinado, entendeu aquela tentativa de transformar a sala de interrogatório em uma granja. A arruaça provocada pelo bicho superava a de qualquer meliante que passara por ali.

— Que palhaçada é essa? — gritou Eduardo para que sua voz fosse ouvida.

Horácio não respondeu, preocupado em encurralar o galo em um canto para dominá-lo. Após três tentativas colocou-o debaixo do braço e quase esfregou o animal na cara do adolescente.

— Mata esse bicho.

As asas se debateram, quase uma nova escapada. Os ruídos do animal e o corpo retesado para o ataque não diferiam muito dos de um buldogue que encurrala a presa contra o muro. Gabriel tentava ordenar os pensamentos, Eduardo tentava alguma explicação. A ordem se repetiu, apenas um pouco mais clara.

— Mata o bicho! Você não é assassino?

Eduardo foi mais enérgico em busca de explicações. Ele bem que tentava ser tolerante, evitar as intermináveis discussões com

Horácio; o problema é que o outro não era dos mais esforçados para que a harmonia reinasse. Horácio explicou que seu método seria a prova dos nove: era preciso um mínimo de gosto por sangue quente, estar pelo menos no primeiro estágio de formação de assassinos para torcer o pescoço de um animal. Quando criança o policial visitava um tio caipira. Precisou de um tempo para superar a sensibilidade de ver um frango degolado com as mãos, um porco morrer aos berros com uma marretada na cabeça, o sangue jorrando como esguicho da jugular de uma vaca. Já na época percebeu que o que causava repulsa em uns era o prazer de outros. Nunca conhecera um assassino incapaz de esmigalhar uma barata. De toda a teoria, concluía, se o rapaz não conseguisse matar o galo podiam jogá-lo na rua que a sociedade não corria perigo.

Horácio pegou as mãos trêmulas do moleque e colocou ao redor do pescoço do animal. Depois ensinou didaticamente como torcer uma mão para um lado e a outra no sentido contrário, ao mesmo tempo em que se devia ignorar os gritos do galo, que ficariam cada vez mais assustadores. Tinha que apertar e manter firmeza — mãos delicadas de tocadores de piano não produziriam o tranco que faria a cabeça do bicho pender largada nos pulsos.

O galo se defendia com fúria. A crista suada, as penas vermelhas brilhando, as esporas afiadas, o olhar agudo — tudo formava um quadro primitivo que gerava em Gabriel idêntica vontade de berrar e se debater.

Eduardo primeiro pretendeu anunciar que o espetáculo acabara, caminhando como estavam na linha tênue entre o procedimento e a transgressão. Ou, em outro nível, entre o bom senso e a insanidade. Preferiu deixar o *show* continuar para ver onde ia dar.

— Você não estrangulou a moça? Estrangula o galo então — insistiu Horácio com sua lógica particular. Logo em seguida, vendo que o rapaz não estava muito disposto a interromper a existência da criatura com as mãos, tirou da cintura uma faca de churrasco. A lâmina afiada estava no ponto para arrancar algumas tripas.

Gabriel retesou-se todo para trás: já não duvidava nem um pouco que aquele sujeito demente poderia esfaqueá-lo ali mesmo.

Ao contrário, Horácio deixou a arma nas mãos da sua vítima. Teve de fazer o trabalho todo: colocar o cabo na palma da mão do adolescente, fechar seus dedos sobre ele e convocá-lo a segurar firme, com raiva.

— Agora fura o bicho, bem aqui entre o pescoço e o peito. Se você não matar este galo eu vou achar que você está mentindo. E se estiver mentindo, sou eu que vou torcer o seu pescoço — a ameaça agora ganhava um ar de compromisso.

Gabriel sentiu que não era hora de dizer "não quero brincar". O policial negro não parecia nem um pouco disposto a protegê-lo. Matar um galo não deveria ser a coisa mais impossível do mundo, considerou. A primeira e óbvia dificuldade era que o bicho não estava a fim de colaborar com sua causa. Os movimentos do galo faziam a faca dançar sem ritmo algum pelo seu corpo, até ela cair no chão. Gabriel olhou para Horácio humilhado, esperando por orientação. No outro canto da sala, Eduardo suspirou: eis ali o assassino que ele tinha para apresentar ao respeitável público. O garoto pediu para tentar fazer o serviço com as mãos, Horácio assentiu. As mãos suadas mal conseguiam contato com a pele do animal. A força que fazia para puxar-lhe o pescoço excitava mais ainda a raiva do bicho, que assustava seu algoz quando reagia. O pânico da morte em estado puro. Foram algumas tentativas patéticas, tempo no qual os gritos do investigador viraram uma risada daquelas de descarregar a tensão. Por fim Eduardo se levantou e deu uma sacudida no interrogado.

— Você acha que a gente está de brincadeira, moleque? — disse Eduardo, e logo que olhou para o galo voltando para o seu lar, a caixa de feira, percebeu o ridículo da frase.

— Esse aí não mata ninguém — sentenciou Horácio.

Agora o delegado titular tinha diante de si um problema. Hipótese um: mandar aquele moleque para a rua aos chutes, sob o risco de ele voltar a fazer a mesma confissão nos jornais; hipótese dois: esquecê-lo trancado numa sala até o dia seguinte, para auxiliar no curso intensivo de criminalidade adulta; hipótese três: seguir os trâmites legais e entregá-lo aos cuidados de um abrigo de menores e de ONGs que nunca mais deixariam policial algum chegar perto da vítima do sistema. Nesse caso, adeus qualquer informação interessante que o assassino com medo de sangue pudesse trazer ao caso. Afinal, por trás de uma confissão de homicídio pode haver alguma motivação valiosa. Tudo isso a ser ponderado em poucos segundos, já que Horácio esperava pelas ordens do chefe, louco para que a hipótese dos chutes vencesse a parada. Pelo menos teria o *happy hour* merecido após um dia cansativo.

— Segura esse moleque um tempo — decidiu o delegado. — Amanhã a gente vê o que faz com ele.

15. Sentença

— O problema, meu amigo, é compreender muito. Antigamente era tudo mais fácil. Trinta anos para esse aqui, pena alternativa para aquele outro, este vai distribuir cesta básica, aquele vai mofar na cadeia. O tempo aperfeiçoa a arte de julgar. No nosso púlpito, somos deuses partilhando culpas e perdões. O problema começa, meu caro, quando a gente desce de lá.

O juiz proferia cada frase fazendo-as ressoar, enquanto fazia *tlic tlic tlic* toda vez que balançava o gelo no copo de uísque. Seu vício vinha de tanto tempo, que a própria voz adquirira consistência de malte envelhecido. Sua sala era sóbria como seus modos. Livros encadernados na estante de mogno escuro. A mesa era sólida, a madeira talhada com detalhes nos pés e nas bordas. Diante da visita inesperada do delegado de polícia, o juiz mantinha o tom de voz cristalino, o ar compenetrado, reflexo de uma lucidez da qual dependiam destinos.

A cadeira alta e macia confortava seu corpo volumoso. Mesmo obeso, ficava elegante no terno preto. Logo após servir um copo àquele policial de aspecto rebelde e olhar agressivo, tratou de confessar que não esperava que ele viesse em seu encalço. Usou essas palavras — confissão e encalço — trazendo desde logo ares de crime para a conversa. Eduardo desde logo informou não se tratar de um interrogatório, mas sim de uma conversa. O juiz refutou que o sogro do delegado talvez se incomodasse com aquela conversa entre amigos, e seu tom de voz não parecia zombeteiro. Eduardo rebateu logo, com a frase que estava guardada havia dias: "com todo respeito pelo deputado, a justiça é o mais importante". O juiz então levantou o copo em concordância, um brinde discreto. Justiça era uma palavra-chave.

A homicídios precisava de informações sobre a noite do crime de Aline Vega. Não estava diante de um suspeito, assegurou o delegado, mas logo em seguida se corrigiu e asseverou que todos os convidados da festa eram suspeitos, já que todos obstruíam o caminho da polícia com o silêncio.

Silêncio que parecia não ser mais um tesouro para o juiz. Suas reflexões sobre a vida de juiz criminal pareciam navegar em círculos na busca por um lugar para atracar. Por vezes parecia estar pensando alto, como se o interlocutor não estivesse ali. Ou como se o delegado titular da DHPP fosse o psicólogo que invadira sua alma para que ele pudesse se expressar. O olhar ficava muito tempo parado em algum ponto da sala, como quem faz uma varredura íntima em busca do pecado original.

— Em casa, depois de muito julgar aberrações rotineiras, a esposa reclama da artrite e temos vontade de esganá-la. O senhor nunca sentiu vontade de matar? Um bandido que seja? Eu penso nisso o tempo todo, já desisti de esconder de mim mesmo. Qual a pena por imaginar essas coisas? Como ninguém nos pune, o máximo que acontece é enchermos o organismo de gordura saturada, de álcool e de remédios. Corremos atrás de uma ilusão que não sabemos qual é. Abrimos pornografia na internet, a visita de uma deusa insidiosa chamada curiosidade nos sopra canções. Primeiro queremos ver mulheres com homens, depois mulheres com mulheres, avançamos para mulheres com animais, homens com homens, e um dia nos levantamos de madrugada, vestimos o capote e saímos da nossa própria casa pé ante pé, como um criminoso. Logo estamos circulando por uma avenida larga, tentando vencer o frio da alma com o ar quente do automóvel. Protegidos pelo insulfilme, chamando a atenção pelo brilho dos faróis de última geração, podemos ser admirados pelas prostitutas e observar os belos corpos dos travestis. Naquela noite não fazemos nada: é como se tivesse sido outro quem cometeu o delito. O problema é quando começamos a mergulhar na noite todos os dias. E um dia abrimos o vidro do carro.

O juiz abriu uma caixa de charutos, tomou um nas mãos, mas não chegou a acendê-lo. Ficou antes passeando com ele por entre os dedos, alisando-o, como se isso ajudasse a organizar o pensamento.

— O inferno, meu caro delegado, tem uma porta pesada trancada por um cadeado dourado. Difícil de entrar, mas nós temos a chave. Nossa escolha é apenas entre abrir ou não. Não nos enganemos de que vamos apenas dar uma espiada lá dentro. Por qualquer fresta os demônios começam a sair. E daí eles tomam conta da festa, nós só servimos os salgadinhos. O senhor já teve a sensação da vertigem?

Aquela conversa toda começava a deixar Eduardo impaciente. Não tinha vocação para jogos filosóficos. Precisava encontrar um atalho.

— Tudo isso que o meritíssimo está me contando é uma espécie de confissão?

O juiz não se abalou com a interrogação incisiva.

— Eu sou o maníaco do parque, o esquartejador de prostitutas, o vândalo que matou o gato da vizinha. Até o pai que jogou a filha pela janela. Quem nunca teve vontade de fazer isso, não é verdade?

— Que tal sairmos do devaneio e vir para o mundo real? E quanto à Aline Vega, o senhor é também o assassino?

O juiz deu um sorriso. Não era tanto a empáfia do delegado que o incomodava, mas o fato de não conseguir ser compreendido.

— Naquela noite todos nós éramos muito poderosos. Muitos homens numa sala com uma mulher desejada e encantadora. Um ritual meio perverso esse, não acha? O prazer podia ser tanto estar com a fêmea quanto vencer os outros machos. Não sei se chega a ser homossexualismo, eu estava tão valente, que fui o primeiro a me despir. A noite prometia ser inesquecível, daquelas que só não contamos para os netos por motivos óbvios.

— E depois da festa? O que você... ou vocês fizeram com a garota?

— Você já se perguntou como era essa moça? O que ela escrevia no seu diário, o que ela não revelava nem para si mesma?

— O tempo inteiro. Conhecer a vítima é conhecer o assassino.

Mais um calculado gole no uísque. Não dava para dizer se o juiz refletia sobre a resposta ou se desconfiava dela.

— O champanhe era do melhor que existe, e qualquer um dos convidados podia ser a salvação da menina. A garota tinha pudor, mas também tinha ambição. É a guerra que todos nós travamos todo dia, como eu estava tentando lhe dizer.

— E então alguém ofereceu dinheiro para transar com ela?

— Meu nobre delegado... esses voos rasantes não vão levá-lo para onde o senhor precisa. Eu estou convidando o senhor para um mergulho.

A censura amistosa e o discurso sábio daquela figura obesa no seu trono particular começavam a causar ânsia em Eduardo. Tomara a decisão acertada de contrariar o favor solicitado pelo sogro. Se começasse a ceder, logo estaria anotando ordens do deputado, do juiz filósofo, do secretário de segurança; em pouco tempo seria até convocado para ajudar a carregar compras do supermercado.

Agora que encontrara um rastro, precisava dobrar o estoque de paciência. No fim das contas o deputado, com sua opressão gentil, lhe apontara um caminho. Por isso o delegado fez uma expressão para o juiz, indicando que aceitava gentilmente o convite para o tal mergulho, já preparando o calção de banho. O juiz prosseguiu.

— Levar a garota para a cama era como chegar mais perto do Olimpo, compreende? Todo mundo queria ter a suprema honra de ser o primeiro. Era um leilão em que o lance não era só dinheiro, mas também a respeitabilidade, a honra, o caráter. Além do mais, deitar-se sobre uma mulher que acabara de ser usada por outro era desagradável. Fosse o colega anterior dono de indústria ou caçador de diamantes, as secreções são todas igualmente repulsivas.

— E quem conseguiu a façanha? Pelo orgulho com que me conta tudo isso, acho que já sei a resposta.

— Vejo que agora o senhor começou a se excitar com o relato. Você vê, meu caro, nosso trabalho é confrontar a nós mesmos. Como é que o senhor vai capturar um assassino se não sentir o que ele sente?

— Alguma experiência que queira desabafar?

— Matar é um prazer, isso é indiscutível — respondeu convicto o juiz. Em seguida cortou o clima: — Estou falando no terreno da especulação, claro.

O juiz se achava muito esperto, pensava o delegado, mas era incapaz de perceber que cada gesto, cada gota de suor no pescoço, cada vez que esfregava as mãos ou alisava seu maldito charuto seus movimentos estavam sendo analisados. Nem só de palavras vive um interrogatório. Ao contrário, a linguagem é uma bela arma para esconder o que sentimos.

A sala estava mais escura, a tarde acabava do lado de fora. O juiz parecia ficar mais à vontade à medida que a sombra da persiana descia sobre seu rosto. Ele contou com orgulho que comprou o primeiro lugar na fila do quarto de Aline Vega. Estava nu, sentia-se tomado pela energia vital, o macho alfa da espécie. O juiz não escondia o orgulho de ter sido o último homem a conhecer Aline Vega. É verdade, depois que ele saiu do quarto, outros entraram, afoitos. Ele se referia a conhecer a menina doce e triste, de medos e sonhos desperdiçados. Teve com ela, garantiu, a fagulha de entendimento que ocorre em pouquíssimas ocasiões numa existência.

— O senhor poderia ser mais específico sobre o que aconteceu no quarto? Se puder se ater aos fatos... — Eduardo sentiu que era hora de colocar mais pressão.

O juiz contou que assim que entrou no quarto luxuoso do Semelle's, encontrou estendida na cama uma moça perigosa e frágil. Ela fazia força para parecer uma prostituta experimentada, mas pouco convincente aos olhos de um *sommelier* de mulheres da vida. O juiz lembrava dos detalhes do encontro.

— É a sua primeira vez? — foi o que perguntou a ela enquanto Aline levantava o véu negro até o alto das coxas.

— Não, eu... — Aline interrompeu a resposta, sem saber se seria mais atraente a experiência ou a virgindade na arte da prostituição.

Era uma mulher que vivia para agradar os outros, sentenciou o juiz. Se lhe perguntasse qual a sua vontade própria, talvez a resposta demorasse dois dias. Tudo nela representava um papel. Se interessar pela vida alheia era a forma que encontrara de ser gostada. Uma boa menina, com tudo o que isso tem de ruim.

O juiz disse a ela que preferia conversar primeiro, e imaginou a turba ensandecida protestando do lado de fora. A garota prontamente atendeu, e se sentou obediente. Os olhos de Aline Vega, vistos de perto, eram mais expressivos. Olhos equilibristas que sabiam caminhar na linha entre a transparência e a dissimulação. O rosto, uma pintura. Tinha sido uma deusa; e deusas, como se sabe, podem ser muito cruéis.

Logo ela estava abrindo o coração. Tinha um discurso positivo, capaz de relatar as maiores tristezas sem desarmar o ânimo. Em muitas passagens tratava da cantora e apresentadora de sucesso na terceira pessoa. Aline Vega era a outra, tratada quase como uma irmã gêmea com quem ela não consegue se entender.

Naqueles momentos que viveram juntos, disse o juiz, a menina saiu das páginas da revista e desceu os degraus para a realidade.

Ou para o inferno. "No fim você olha para o nada e cai num abismo", foram palavras dela.

Em seguida ela começou a falar de outra coisa e resgatou sua altivez. Desculpou-se dizendo andar emotiva, pois tinha encontrado alguém do passado. Um desses amores que só são perfeitos porque não deram certo. Na época, brincou, preferiu descer do cavalo do príncipe e andar de Mercedes. Sua carreira estava entre a vida e a morte, e ela não podia recusar o convite.

Nessa hora, a garota tinha as pernas cruzadas e parecia apertar uma contra a outra. Desculpou-se por falar de si mesma tanto tempo seguido. Lembrou que as pessoas estavam esperando do lado de fora e, afastando os joelhos, perguntou o que o juiz gostaria de fazer com ela.

Nesse ponto o juiz fechou os olhos e entrou numa espécie de êxtase — quase podia ouvir uma ópera ressoando pelo ambiente. É claro que aquele momento de volta ao passado, varredura interior, confronto com seus demônios, essas besteiradas todas que o juiz tinha na mais alta conta pouco importavam para Eduardo. Ele preferia chegar logo ao final do filme, e não ouvir as digressões do artista.

— Há duas maneiras de descobrir a inutilidade dos prazeres: gozando ou renunciando a eles — disse o juiz voltando ao presente.

— Bela frase. Podemos continuar?

— Não é minha. Mas também não lembro de quem é. Antigamente eu era o melhor citador do tribunal.

— Prefiro ouvir algo da sua própria criação.

A citação era apenas o preâmbulo. O juiz contou com orgulho que renunciara a deitar-se — sim, ele usou essa palavra, renunciar — com Aline Vega. Falava com orgulho, mas a agitação com que começou a se mexer — a cadeira de repente ficou pouco confortável — dizia que estava difícil carregar o peso do arrependimento. Ainda assim o juiz estava convencido ao falar sobre o resgate da sua dignidade e de como vestir novamente o seu terno na festa significou se cobrir com a capa da retidão. Antes de deixar o quarto, deu conselhos para a menina, que ela não deveria estar ali, para ir para casa, tomar uma xícara de café com leite, jogar fora coisas antigas que ela guardava, ligar para alguém apaixonado por ela. "Sua alma ainda conserva o pudor", foi a frase que usou, se lembrava bem quando as palavras lhe ocorreram. Aline agradeceu, e trocaram um abraço mal dado, ambos sem graça, antes de ele partir.

Por fim concluiu que não voltou de táxi para casa. Preferiu caminhar cerca de trinta quadras, coisa que não fazia desde que passara no concurso público. No caminho, embora garantisse que não acredita em mistérios da nossa filosofia, sentiu um vento gelado quase paralisar seu rosto, e mais tarde associou esse instante ao último suspiro de Aline Vega.

— O senhor teria como provar isso? — Eduardo tentou mais uma vez ver o lado prático das coisas.

— Um homem é inocente até que...

— Besteira. Nenhum álibi, nada?

O juiz assegurou que se o interlocutor atravessasse a porta e falasse com a esposa, teria o álibi que precisava. Falso, mas teria. A devotada senhora iria dizer que o caridoso marido passara a noite em casa. Talvez acreditasse mesmo nisso, ou calculasse que àquela altura da vida era melhor a companhia do diabo do que a solidão. Seria um interrogatório aos berros, brincou por fim o juiz, não porque a esposa merecesse um aperto, mas por causa da surdez.

— Para encerrar a minha sentença, eu me declaro culpado! — disse o juiz abrindo uma gaveta. Eduardo inclinou o corpo para ver o que continha. Caixas e caixas de remédio tarja preta. Do ponto de vista psiquiátrico, explicou o juiz, ele era um doente, portador de agudos distúrbios sexuais. O nome científico para depravado, brincou. Ele tirou as caixas e jogou sobre a mesa, como se exibisse sua coleção de selos. Todas elas estavam intactas: o paciente alegou que sem a sua doença se sentiria morto.

Chegava a hora das despedidas. O juiz levantou com dificuldade seu corpo volumoso. No final do movimento ofegava como quem terminava uma maratona. Fez menção de acompanhar Eduardo até a saída. Os dois passaram por um corredor com pinturas antigas e belas molduras na parede. Uma escrivaninha e uma cadeira no estilo corte francesa. O delegado titular da DHPP sentiu imensa vontade de ter às mãos um mandado de busca e apreensão. Quanto lixo não deveria se esconder naqueles móveis elegantes. Era um cálculo delicado. Por um lado, tocar fogo na investigação poderia transmitir a sensação de que a Civil está se mexendo, que não se amedronta nem diante de altas autoridades. Todos são suspeitos, mesmos os cidadãos respeitáveis. Se não quiser ter problemas com a polícia, basta andar na linha. Eram as frases que ocorriam ao delegado titular para justificar uma ação impetuosa. Por outro lado, a mensagem transmitida poderia ser inversa. A polícia está atirando para qualquer lado. Um réu confesso sob custódia e o delegado invade a casa de um juiz federal. Eduardo podia ler a sua fama de intransigente voltar ao noticiário.

Na entrada da casa, sob um pequeno pórtico que trazia uma sensação de conforto, o juiz apertou as mãos do seu inquisidor com afeto. Aperto seguro, de homem honrado.

— Se após tudo o que ouviu o senhor acreditar na minha inocência, peço que nossa conversa tenha sido particular.

Eduardo então aproveitou para pegar embalo no clima cordial, e fez a pergunta-chave com toda elegância que poderia:

— O senhor tem certeza que foi o primeiro, e não o último, a entrar no quarto de Aline Vega? Juraria sobre a Bíblia?

O juiz sorriu, antes de entrar e fechar a porta atrás de si.

16. Zíper

A intenção certamente era criar um clima, mas o esforço tinha sido inútil. O som de um pagodeiro romântico saía de um aparelho portátil, com a antena partida na metade. Uma ou outra peça de roupa estava espalhada pelo chão e na poltrona gasta, e um vidro de perfume importado sobre a mesinha lateral era possivelmente o item mais caro daquela sala minúscula. O ramo de transar com senhoras devia estar em período de crise, pensou Luisa. Ainda assim o garoto de programa de dona Eurides apresentou o "seu apê" com vaidade. Tinha dois quartos, é verdade, como ele apresentara com jeitão de corretor de imóveis em fim de carreira, mas eram tão minúsculos, que num deles o armário ocupava metade do espaço. O resto era preenchido com um saco de boxe que descia pendurado do teto; o estúpido morador não tinha espaço nem para abrir os braços na hora de socá-lo.

O garoto de programa tirou duas revistas do sofá, tentando escondê-las, antes de estender os braços e dizer fique à vontade. Desde que saíram da baladinha noturna ele tinha se convertido num amontoado de clichês. Talvez achasse que a mulher classuda era muito melhor do que ele. E tinha razão, portanto precisava impressionar.

Luisa se sentou e passou os olhos pela sala de uns três metros quadrados. Se fosse uma mulher em busca de aventura estaria arrependida por insistir com o parceiro para irem à casa dele. Como era uma policial em serviço, o "apê" era o lugar ideal, já que não havia muito o que revistar. No carro o garotão garantia que "tinha acesso" aos melhores motéis e até quartos privês em casas noturnas, para as mais deliciosas fantasias. Citou o Semelle's, dizendo que lá o receberiam de braços abertos. Ele tinha certeza de estar ao lado de uma mulher insatisfeita que começava a beirar os quarenta, prestes a dividir sua existência em antes e depois de conhecê-lo. Ela caprichou no jeito inseguro para dizer que não gostava de nada impessoal, que se sentiria mais à vontade na casa dele. O garoto de programa então mandou um beijo perto da sua boca e avançou com a mão no meio das suas pernas, fazendo Luisa quase perder o volante.

No seu abatedouro ele experimentou deixar acesa só a luz do abajur para criar um clima meia-luz. Alguém deveria ter-lhe informado da existência de uma coisa chamada cúpula. O filete da lâmpada produzia um brilho incômodo; Luisa pensou em sacar os óculos escuros da bolsa, que talvez suavizassem um pouco a repulsa àquele ser desprezível.

Ele foi logo tirando a camisa, fazendo de conta que fazia um *strip*. A essência da sensualidade. Possivelmente ele achava que Luisa iria passar a língua sobre os lábios e cravar as unhas no seu peitoral rígido como pedra. A investigadora não chegou a tanto, mas fingiu alguma empolgação. Precisava dar um jeito de tirar o sedutor da sala para vasculhar a casa dele; pensou em mandá-lo tomar um banho, mas considerou logo que a sugestão soaria ofensiva.

Ficou difícil organizar os pensamentos com o sujeito fungando em seu pescoço. Ele caprichava na língua úmida, como se estivesse seguindo um manual de como deixar as mulheres enlouquecidas. Quando as mãos dele chegaram aos seios sem a mínima preparação, Luisa teve de se fazer de donzela ofendida e afastá-lo com um empurrão, que saiu mais forte do que ela esperava.

— Vai querer alguma coisa especial? — ele já de volta ao campo, sem demonstrar qualquer noção de que não estava agradando. Ao contrário, seu próximo passo foi abrir o zíper da calça *jeans*.

— O que você chama de especial?

— Eu posso me humilhar para você? Ou então te dar umas palmadas.

Eis aí o garanhão em toda sua sabedoria. Era um homem esclarecido, que dava opções à parceira. Num átimo ocorreu à Luisa que havia um bom tempo não tinha uma boa transa. Houve transas ruins, algumas em sequência, o que já a levava a acreditar que os homens já não conseguem cumprir a única função para a qual são necessários. No prato feito onde almoçavam, a duas esquinas da DHPP, frequentemente era obrigada a dividir espaço com policiais que esqueciam que havia uma dama na mesa. E quando lembravam isso só os tornava mais exibidos. E assim contavam suas façanhas eróticas da noite anterior, acreditando do fundo do coração que eram mesmo os caras viris das suas narrativas. A frase de um deles certa vez — proferida enquanto mastigava um frango frito — defendia que sexo bem feito é a melhor coisa do mundo; mal feito é a segunda melhor. Luisa daquela vez riu, embora não concordasse.

Agora estava diante de um homem que se considerava o arauto de um mundo de luxúrias e prazeres.

— Eu... acho que eu prefiro conversar um pouco — respondeu Luisa, sabotando o teste múltipla escolha. Em seguida se afastou um pouco, ajeitou a saia e cruzou as mãos sobre os joelhos. Estava se saindo bem no papel de recatada, quase uma normalista.

O garanhão demorou um tempo para assimilar. A resposta não estava no seu repertório, e como as sinapses eram lentas seu olhar perdido denunciava que não sabia mais como reagir. Luisa resolveu ajudá-lo.

— Essa tatuagem, na sua barriga...

— Gostou? — ele forçou o abdome para os gomos aparecerem. Recuperava sua autoestima de abatedor implacável. — Isso aqui é um símbolo indiano. Eu não sei bem o que quer dizer, mas achei bem maneiro.

Luisa sorriu. O sujeito achou que tinha agradado, mas o motivo da graça é que ela tinha pensado em inventar que aquele era o símbolo que se usava na Índia para identificar a casta dos imbecis. Guardou a piada para uma próxima ocasião. Quem sabe quando eles estivessem separados pela grade da cela.

De qualquer forma Luisa encontrou uma estratégia que continha a excitação adolescente do garoto de programa veterano. A vaidade é mais forte que a testosterona. O garotão se comprazia em falar dele próprio. Da tatuagem emendou em como era um adolescente carismático e atuou em peças na escola, sem deixar claro o que uma coisa tinha a ver com a outra. Depois lamentou-se — a profissão é difícil, não teve como seguir seu sonho, mas ainda acha que vai acontecer um dia. Disse ser muito mais bonito que esses atorzinhos com cara de menino; ele não, tem traços de homem. Luisa concordou, interessada. Ao seu redor, só via bagunça, coisas que só interessavam a quem pesquisasse o estilo de vida de gente desleixada. A cozinha era conjugada à sala: sobre a pia uma caixa de *pizza* da noite anterior. O rapaz percebeu que Luisa olhava para lá e ofereceu. Sobrara um pedaço, *pizza* amanhecida fica ainda melhor, argumentou.

A conversa parecia que não ia levar a lugar nenhum. Até que a história de vida chegou numa encruzilhada. O rapaz contou que quando era jovem se defendia se vestindo de coelho em festas infantis. Um calor desgraçado. Não era incomum que a diversão da criançada fosse chutar o coelho. Um dia foi chamado para um trabalho importante. O zoológico inteiro estava no bufê infantil: tinha onça pintada, hipopótamo, até paca. Concorrência brava. Tudo porque a aniversariante de cinco anos era estrelinha de tevê. A mãe fez a festa dos sonhos, com o dinheiro da menina, claro! Era uma mãe ajeitada, charmosa nos seus trinta e poucos anos, e enquanto a filha inflava as bochechas para soprar a velinha ele se aproximou por trás da mãe, roçando seus pelos de coelho no corpo dela. Conquistar jovens senhoras casadas em situação estável, calculou, era menos humilhante do que aquilo.

Mas principalmente trocaria o uniforme de trabalho: iria sair da fantasia sufocante para trabalhar sem roupa.

A jovem mãe estranhou, e foi só então que ele resolveu tirar a cabeça de orelhas pontudas e revelar seus traços masculinos. A mulher se surpreendeu, sua expressão denunciou. O início de uma bela amizade. Naquela noite mesmo trepou como um coelho. O garotão riu da sua tirada. Luisa estava com a atenção pregada na história, o que fez com que o garoto de programa se sentisse desejado.

Depois foi ganhando presentinhos, dinheiro que a amante esquecia no bolso de sua calça, até uma motocicleta. Logo percebeu um ramo promissor, o de mulheres casadas há mais de cinco anos insatisfeitas com o marido. Arrumou outras clientes, começou a trabalhar em casas noturnas, mas não admitia ser chamado de garoto de programa, embora só faltasse o registro na carteira de trabalho.

Luisa interrompeu. Queria saber mais da primeira cliente, que fim tinha levado. "Conta mais". O garoto veterano jurou que tinha tentado se livrar dela centenas de vezes, mas, sabe como é, a velha enlouqueceu. A palavra era dura, mas tinham de encarar a realidade: ela tornara-se uma velha que se recusava a pegar no tricô. De vez em quando ele comparecia, cliente antiga. O rapaz tentou mudar de assunto, contar suas façanhas em outra freguesia. Mulheres que se descobriam na jornada do sexo, tendo ele como guia. Disse isso sentando-se ao lado de Luisa, tentando novo ataque às pernas, mãos segurando firme. Ela quase sem conseguir se afastar, o sofá era curto.

— Vida interessante a sua!

— Engraçado, a mulherada nunca quis saber o que se passa aqui — disse ele apontando para o coração. Em seguida pegou a mão de Luisa e a colocou sobre o volume da calça *jeans*. — Elas estão sempre interessadas nessa região.

— Vamos conversar mais um pouco — disse Luisa, recolhendo a mão.

— Bateu o nervoso, né? Sabe que eu *tô* gostando de você?

O garoto veterano parecia realmente emotivo. Fazia tempo que não se abria com ninguém. Garantiu que tinha aquele jeito viril, mas no fundo era um coração mole. Em poucos minutos estava contando dos seus sonhos de família, casa no campo, um cavalo, não precisava ser grande coisa — uma varanda no final do dia e uma mulher bacana. Estava difícil encontrar mulher companheira, que entendesse seus problemas. Andava cheio de problemas. Luisa quis saber quais. "Outro dia eu conto", foi a resposta. "Quem sabe a gente não pega um cineminha."

— É alguma coisa com a tal mulher? — Luisa tentou ser sagaz e compreensiva. Sem querer, tinha descoberto um bom método para interrogatório. Com vinte minutos de atenção e afeto é possível que um facínora conte dos seus deslizes aos prantos.

Mas dessa vez sua técnica de psicóloga falhou. O garotão ficou na defensiva, agitado: chega de conversa. Era de novo o macho sem crise. Para provar, abriu o zíper da calça e tirou o pênis para fora, exibindo-o como quem ouve o aplauso da multidão.

Luisa corou — dessa vez não precisou nem fingir. O sujeito agia como um touro na arena, e ela era a capa vermelha. Apertou a bolsa nas mãos: se o negócio era sacar a arma, estava pronta para o duelo.

Naquele momento a investigadora queria voltar no tempo e ter uma arma por perto quando mais precisou. Aquele sujeito nu à sua frente, o corpo malhado e atarracado, emanando fluidos que a enojavam. O olhar de desequilibrado, as mãos lhe segurando, impedindo os movimentos, a voz grave falando coisas sujas. "Relaxa, que tudo vai dar certo." A lembrança a congelou por um instante, era preciso espantá-la. Abriu o zíper da bolsa. Suas mãos encontraram o celular, a agenda, e logo o cano do revólver.

O garoto de programa estava com o peso largado em cima dela, arrancando sua roupa.

A campainha tocou. Um toque nervoso, insistente.

O rapaz foi até a porta, muito irritado: quem ousou cortar seu momento inesquecível? Já estava com a mão na maçaneta sem o menor problema em atender pelado.

— Espera — Luisa o conteve. — Eu não quero ser vista aqui.

— Me espera lá no quarto.

Uma ideia boa. A campainha fora providencial. Podia fuçar na vida do garotão enquanto ele se entendia com a visita. Torcia para ele ser culpado. De qualquer coisa. Ainda iria descontar o ataque no sofá.

A investigadora deixou a porta sanfonada um pouco entreaberta. Tudo o que havia no quarto era uma cama desarrumada e uma cômoda antiga. Mal abriu a primeira gaveta, reconheceu a voz que vinha da sala.

— Por que você não foi na minha casa? Nós combinamos, não combinamos?

Luisa olhou pela fresta. Dona Eurides já jogava sacolas no sofá, tomando conta do território. A justificativa do rapaz foi primária: "estou gripado".

— Por isso você está sem roupa? — rebateu dona Eurides, lembrando que a esperta na relação era ela. A senhorinha já foi tirando a blusa. O rapaz não tinha o mesmo ímpeto de instantes. O touro tinha sido sangrado.

— Melhor deixar para outro dia. Hoje eu não...

— Eu quero hoje! — ela rebateu ríspida. — Você me deve, não vou ficar na vontade.

A senhorinha sabia mesmo deixar o valentão submisso. Luisa aproveitou o momento em que a cena era proibida para menores e voltou para as gavetas. Roupas e mais roupas, camisetas regatas de todas as cores, uma caixa de fósforo com a ponta de um baseado dentro. Da sala veio nova discussão.

Dona Eurides estava longe de ser o tipo de personalidade que com o tempo adquire serenidade. Muito ao contrário, ela parecia uma criança mimada aos berros. O fogo que acendera a pólvora chamava-se rejeição. Seu garoto de programa particular se recusava a cumprir seus deveres — talvez não ele, mas uma parte dele: a única parte indispensável. O rapaz levava as mãos à cabeça, tentava segurá-la pelos ombros, desejando que houvesse algum botão que apagasse a velha. Dona Eurides berrava palavrões que envergonhariam os jogadores de sinuca do boteco da esquina. No jorro de ofensas uma frase gritada chamou a atenção de Luisa — e provavelmente do andar inteiro.

— Você machucou a minha menina!

Era difícil dizer se a senhorinha fazia uma acusação ou um agradecimento. O surto de histeria era completo.

— Eu devia ter te largado naquele dia. Naquele dia nossa relação não tinha mais para onde ir.

— Se você me abandonasse, eu ia dizer que você matou meu marido.

— Dane-se. A cadeia é melhor do que viver ao seu lado.

O golpe substituiu os gritos pelo choro indignado. Pelo menos o volume era mais baixo. A próxima acusação da lista de dona Eurides já estava engatilhada.

— Você dormia com a minha filha, na minha casa.

— Ela só tinha sete anos, pelo amor de Deus!

— Você dormia com ela. Você continuou encontrando ela. O tempo inteiro, vocês sempre me enganaram e... — as palavras dela iam saindo sem mediação nenhuma: o diálogo agora era com sua própria paranoia. — Pensa que eu não via os olhares, o jeito que você a tocava? Vocês ainda se encontravam, confessa.

Uma confissão viria em boa hora, pensou Luisa do seu esconderijo. Seria o caso de botar ordem na bagunça com a carteirinha preta em mãos, cujo símbolo imponente era o melhor antídoto antiarruaça. Em uma gaveta entreaberta a investigadora viu a ponta de um álbum de fotos Kodak por baixo de um pulôver vermelho. Nada a ver com as roupas que o morador do imóvel usava. Era a única peça impecavelmente dobrada, denunciando que tinha ido para a gaveta para nunca mais sair. Um presente equivocado de dona Eurides, provavelmente.

As primeiras fotos traziam o garotão na praia, posando com amigos, ele apontando o dedo para um cara e o cara para ele. Todos esses registros que as pessoas fazem para acreditar que se divertiram. Luisa já ia guardando o álbum de volta quando percebeu que uma das capinhas de plástico continha duas fotografias. Na que estava embaixo, o garoto de programa apontava para a câmera. Aline Vega, em seu colo, imitava o gesto. Ela devia ter seus sete anos, e tinha no rosto algo que poderia ser classificado como um sorriso.

A histeria na sala cessou. Luisa guardou a foto na bolsa e foi conferir se aquela união estável não havia produzido mais nenhum cadáver: o silêncio era de estranhar.

O rapaz estava sentado com a cabeça baixa entre as mãos. Parecia estar sozinho, Luisa foi dando o ar da sua presença com cuidado. Ele se apressou em pedir desculpas.

— Quebrou um clima que estava perfeito...

— Não faz mal — Luisa tentou consolar, logo se dando conta que perfeito era o momento para cair fora. Ela prendeu os cabelos e ajeitou a camisa amarrotada. O cheiro do perfume tinha ficado nela, iria jogar a camisa fora. Nessa preparação para se mandar, pelo menos com a sensação de dever cumprindo, ele a segurou pelo braço.

— A gente vai se ver de novo, não vai?

Havia uma pontada de desespero no pedido. Dona Eurides sabia como tirar seu fornecedor dos eixos.

— Claro — limitou-se a responder Luisa. Depois não soube se continuava o fingimento e dava um beijo de despedida carinhoso ou o teatrinho com o garoto-problema já havia acabado. Decidiu pela segunda opção e foi abrindo a porta.

— Como eu faço para te achar? — ele ainda demonstrava alguma esperteza. Luisa ia se valer do velho truque do telefone falso quando o rapaz se levantou, no estilo volta por cima, ele mesmo com a resposta à própria pergunta.

— Não precisa me dizer. Eu mexi na sua carteira e vi sua identidade. Um jeito de me garantir, espero que entenda. Pode deixar que eu não vou deixar você escapar.

17. Sangue

Foi o recorde de vendas do *Correio da Noite*. Uma edição teve de ser providenciada às pressas para o dia seguinte. O fenômeno começou com o interesse dos vadios da madrugada, que procuravam uma última moeda no bolso que não tivesse virado bebida. As prostitutas compraram, gigolôs tomaram o jornal da mão delas. Taxistas que faziam a ronda, guardas noturnos, porteiros de hotéis, adolescentes bagunceiros. O *Correio* voltava a ser o semanário dos moradores da noite, como nos bons tempos. O velho empresário teve a ideia fantástica de rodar mais exemplares e distribuir na entrada das estações do metrôs e filas de ônibus durante o dia — quase resgatando para a cena urbana o velho garoto de calça curta aos gritos de "extra!, extra!". Foi uma ideia tão emocionante, que custou uma internação ao seu autor por causa da pressão alta e princípio de infarto. Enquanto ele ouvia instruções do médico sobre a gordura saturada, seu jornal virava o acontecimento do dia e pautava toda a imprensa.

A manchete jorrava sangue — "A última dança" — e não era propriamente uma figura de linguagem. Para dar mais consistência ao terror o autor da capa, imaginando que enfim chegara seu dia de brilhar, salpicou das últimas letras, especialmente do *ce* cedilhado, gotas de sangue que escorriam da manchete e tomavam conta da primeira página do *Correio da Noite*.

Apesar do gosto duvidoso, continuava um furo de reportagem. Boa parte da página era ocupada com uma fotografia de Aline Vega. A capa era toda mórbida e erótica. A ex-modelo vestia um véu negro transparente, com grinalda e tudo, e os leitores mais animados se flagravam envergonhados por fantasiar com um corpo que àquela altura estava se decompondo. O cenário ao fundo não deixava dúvidas — embora a qualidade da imagem fosse péssima, uma foto sem definição que fora ampliada demais — Aline Vega posava no Semelle's. Seu último refúgio não parecia um lugar de paz e serenidade. Figuras estranhas compunham a imagem. Todos com copo na mão, alguém rindo tão exagerado, que podia se ver que ainda tinha os dentes do siso, mulheres desinibidas. Em um semiperfil dava para reconhecer um empresário famoso, mas seu advogado negaria até o último recurso. Bem ao fundo a careca brilhosa do demiurgo maior: Silas Baroni possivelmente iria escrever para a redação queixando-se de que estava fora de foco.

O filé *mignon* estava mesmo no primeiro plano. Um sujeito gordo e nu tinha um copo de uísque numa mão e os ombros de Aline Vega na outra. O autor da capa pelo menos tomara o cuidado de expor o sujeito só da cintura para cima. Ele sorria para a câmera como boa tiete, como se estivesse na Disney vestido de Mickey. O retrato da degradação, nada mais. O que realmente chamava a atenção, isso sim, era a presença de Aline Vega. A ex-modelo parecia ter escolhido a pose perfeita para aquela primeira página fúnebre. Seus olhos encaravam fixamente a câmera, como se flagrada por uma grande surpresa. O retrato de alguma perturbação. Havia algo como um grito retido, um lábio tremido, uma lividez qualquer que mantinha os leitores vidrados na foto, tentando decifrar o que Aline Vega estava querendo lhes dizer. O contraste era tão desorientador, que um artista não faria melhor. Aos olhos de um quase pânico se combinava a boca de um quase sorriso. De novo a expressão de uma alma que não sabia para que lado correr.

O repórter do *Correio da Noite* não desperdiçou seu grande momento, e deve ter redigido a matéria já agradecendo aos prêmios imaginários, com discurso em inglês. Ele deu detalhes dos hábitos e gostos dos convivas, tudo muito afetado, estilo Castelo de Caras. Só que mal assombrado. "A deslumbrante Carmita de Albuquerque jura que liberou o marido para a badalada orgia anual de Silas Baroni." "Indignado, o *marchand* Romeu Athanassis reclamou do cheiro de carne estragada que tomou conta da festa." "Juiz federal experimentou um figurino ousado: passou boa parte da festa só de meias pretas."

Em seguida a denúncia surgia por trás da ironia. O repórter denunciou que a convidada especial da noite fora tratada com deselegância e praticamente impedida de ir embora. "Já vi casos de celebridades barradas na entrada de grandes eventos; Aline Vega foi barrada na hora de sair." Silas Baroni, "um *gentleman* que deve ter aprendido boas maneiras numa boleia de caminhão", era acusado de tentar aliciar a sua convidada.

Com o jornal nas mãos, Eduardo relia um trecho que chamava mais sua atenção do que a de outros leitores. A reportagem garantia que até um menor de idade participara da festinha proibida para menores. Não havia dúvida de que o repórter do *Correio da Noite* sabia mais que a polícia. Por um lado, era uma humilhação. Mas Eduardo preferiu olhar a coisa pelo lado bom: encontrara, enfim, alguém que quebrara o jejum do silêncio.

Mais tarde, na minúscula redação do bravo vespertino, o delegado titular brandia o exemplar do jornal na cara do repórter. O ambiente consistia em uma mesa com um computador, um arquivo de metal que guardava muitas histórias de defuntos, máquinas de escrever aposentadas em cima dele, um ventilador de chão, com as pás grandes e empoeiradas, compradas em alguma liquidação do Mappin, e a indefectível máquina de café conquistada após uma greve que mobilizou cem por cento da categoria: o repórter faz-tudo.

Era na máquina que ele arrancava seu café e oferecia um para o delegado nervosinho. A controvérsia começou quando o repórter garantiu que jamais entregaria suas fontes. Tinham direito ao *off*, instituição sagrada do jornalismo, e ainda arriscou uma analogia.

— Se a noite do crime tivesse sido relatada em confissão a um padre, você colocaria o santo homem no pau-de-arara, delegado?

— O que você sabe sobre esse garoto? Esse menor de idade que você diz que estava na festa?

— O que você sabe sobre ele?

O repórter era uma metralhadora de provocações. Devia estar muito bem informado. Talvez soubesse do adolescente guardado na DHPP, em situação provisória que se estendia ao limite da irresponsabilidade. O repórter devia ter alguma fonte dentro da Civil, e o delegado apostava suas condecorações que a fonte atendia pelo nome de Horácio Pereira.

Outra ironia da reportagem é que a dignidade reconquistada — tão valiosa para o excelentíssimo senhor juiz federal — agora escorria pelo bueiro, com seu peito flácido e ombros caídos expostos em preto-e-branco.

Diante da insolência do repórter, Eduardo enfrentava mais um teste limítrofe. Se o delegado tivesse um medidor interno de paciência, o ponteiro já teria ultrapassado a barrinha vermelha.

O repórter acendeu um cigarro. Censurou-se por ter começado a fumar e beber depois dos trinta. "Desilusões da vida." Antes, garante, acreditava na justiça e no amor verdadeiro. Eduardo tentou argumentar civilizadamente. As informações daquela página podiam levar o assassino à cadeia em menos de 24 horas. O repórter não se sensibilizou.

— Prender o assassino é problema seu. O meu é contar a história.

— Então quem vai para a cadeia é você. Obstrução ao trabalho da polícia.

Eduardo não era afeito a autoritarismo, mas começava a sentir certa nostalgia de métodos que sempre repudiara. O caso Aline Vega mexera com seus brios. Voltava a ser o jovem policial de início de carreira: obcecado, insone, focado. Época em que projetava seu futuro e se via recebendo medalhas, satisfeito por cumprir seu dever. Sonhava estampar com orgulho uma capa de revista, pela causa negra, não por vaidade. Após a ascensão meteórica, sentia-se agora um delegado no piloto automático. E quem não está em ascensão está em decadência. Estabilidade é ilusão — era sua filosofia que tinha ficado esquecida. Agora tinha um caso, um traidor e um assassino à solta. Estava disposto a resolver tudo de uma vez, como uma bofetada.

Toda essa energia vital se projetava dos olhos do delegado, que agora encarava o repórter a tão pouca distância, que era possível contar as veias saltadas das suas órbitas. Eduardo assegurou, dando tapinhas no rosto do repórter — cada vez mais comprimindo a pólvora dentro de si — que iria descobrir o assassino de Aline Vega e, mais ainda, não pouparia esforços para que o repórter e seu jornaleco pagassem o preço pela irresponsabilidade. Já tinha mandado muita gente influente para a cadeia, não seria um inseto que iria obstruir o caminho da lei.

Eduardo já estava de costas, a caminho da porta, plenamente focado no seu próximo objetivo, quando o repórter lhe reservou uma última punhalada. Eduardo teve de se conter para não jogar sua carreira e sua vida pela janela. O delegado titular chegou a interromper o passo e viu-se por um momento virando-se tal qual um policial de filme de ação, do tipo que faz justiça com as próprias mãos, desferindo cinco, seis, dez tiros no jornalista, que cambalearia no ar a cada projétil que lhe atravessasse o crânio, o peito, o estômago. Por fim, Eduardo viu-se caminhando em direção ao corpo caído e ensanguentado e encerraria o castigo cuspindo-lhe no rosto tão disforme, que dificilmente a mãe reconheceria o filho no IML.

O plano foi abortado, pois o filme imaginário continuou e Eduardo assistiu à sua derrocada, perseguido pela Ouvidoria, pelo Ministério Público, transformado em troféu para conter os maus-tratos da polícia, vilão nacional dia e noite na imprensa; no fim das contas, encarcerado, sozinho e odiado.

A punhalada pelas costas dada pelo repórter teve a forma de uma pergunta:

— A propósito, delegado, o senhor já tem candidato a deputado?

Era a perfeita estocada cirúrgica, que mexia num vespeiro qualquer no espírito do delegado, provocando uma revoada de abelhas envenenadas. Eduardo manteve a mão na maçaneta por uns instantes, decidindo se responderia com algemas ou com os punhos. Decidiu não agir com violência, e para descarregá-la caprichou no chute que deu na mesa de trabalho do repórter. Um pouco de estorvo, para assustar. O velho computador que ia conseguindo vencer a obtusidade agora se rendia à truculência policial.

O repórter primeiro reclamou que sua omoplata estava machucada, depois que as algemas apertavam seus punhos. Podia pelo menos esperar que ele tirasse o relógio. De qualquer forma, estava tranquilo mesmo diante da ordem de prisão. Sabia que não ia passar mais de uma noite recolhido. Bastava esperar pela manchete do dia seguinte.

18. Persiana

A investigadora Luisa não se conformava que seu relato não estava provocando reações entusiasmadas na plateia. Horácio mantinha os pés sobre a mesa, a sola dos sapatos sujos deselegantemente apontadas na direção da colega. Estava mais preocupado em ter esquecido o material de limpeza que a ex-esposa pedira para levar. Nos últimos tempos a ex-esposa andava especialmente implicante, tudo era motivo para discussão. Não há serviço pior do que casamento desfeito pela metade. Eduardo transferia as coisas de sua gaveta para uma caixa de papelão. A persiana de alumínio que decorava sua sala se esvoaçava toda vez que o vento batia. Um barulhinho contínuo e irritante, mas era isso ou fechar a janela e aguentar o calor. Ou, ainda, abrir a droga da persiana e enfrentar a luz do sol invasiva. Trocar por outra estava fora de cogitação: exigiria três memorandos em sete vias para receber uma resposta de "estamos providenciando" e, com isso, a saga estava concluída.

Luisa estava tão empolgada nas suas descobertas, que nem percebera que as coisas mudavam no departamento.

— Onde você pretende chegar com tudo isso? — interrompeu Horácio. — Você está apaixonada por esse garoto de programa?

Só uma estupidez cultivada ou muita má vontade poderia explicar como Horácio não encaixava as peças; como Luisa conhecia bem o colega de trabalho, estava diante da segunda opção. Ela explicou com toda didática possível, como uma professora de primário, e se tivesse uma lousa faria um desenho caprichado da banheira onde o pai de Aline Vega tinha sido afogado. Estava na cara, disse ela, que o crime do passado não fora suicídio, mas assassinato. Cometido pelo amante da mãe com a cumplicidade dela. O que não contavam é que a filha pequena tinha assistido à cena dantesca e sua imaginação infantil achou uma maneira de registrar o acontecimento traumático. Estava lá, no vapor do espelho, a indicação de que papai, mamãe e o amiguinho dela estavam brincando de "mergulho". A mãe deve ter colocado a filhinha querida para dormir com uma explicação qualquer, e no dia seguinte ensaiaram juntas até tarde o que ela iria dizer aos adultos que perguntassem o que tinha acontecido. O garotão e dona Eurides livraram a cara. O mais prudente seria os amantes se afastarem, dona Eurides partir para novos amores, mas o medo da rejeição era maior que o medo da punição. Num belo dia qualquer Aline Vega se re-encontrou com o amiguinho da mamãe. Ela numa nova fase de vida e ele com sua cadeira cativa no Semmele's. O garoto de programa, agora quase vinte anos mais velho, não esperava que a garotinha do espelho agora era *stripper* e tivesse memória tão boa. Poderia denunciá-lo. Melhor então mandar a filhinha para os braços do papai. Seria até uma boa ação, considerando que a mãe era uma desvairada. Tinham o principal suspeito, concluiu Luisa, categórica.

A história era de fato surpreendente — bonita até, emendou Horácio — mas criativa demais. Além do mais — e aqui o investigador expressou uma preocupação sincera —, Luisa havia mexido com a pessoa errada. Era o que a molecada que andava com seu filho pelas ruas diziam: mexeu com a pessoa errada. O que significa que a retaliação iria vir; o garoto de programa podia não ser o assassino, calculou Horácio, mas boa gente não era. Ameaça permanente, foi o termo que usou. Luisa replicou: "eu sei me defender".

— Só se você matar o sujeito. Está a fim? — provocou Horácio.

— Não me julgue pelos seus valores.

— Você pode agir de acordo com o manual. Mas na hora que a coisa engrossar vai ser mais seguro deixar o ódio fazer o serviço.

Luisa desviou o assunto.

— Você tem uma história melhor para a morte da garota? — provocou. — O tempo está passando, você deve ter trabalhado esses dias.

— Segredo de justiça — esquivou-se Horácio. — Prefiro esperar a neblina baixar para enxergar melhor. Pela sua história até a mãe pode ser a assassina.

Luisa deu de ombros. Não havia mesmo entendimento possível. Horácio, claro, notou o incômodo, e insistiu que nenhuma hipótese podia ser descartada. Para provar, contou mais uma dos seus tempos de glória. Certa vez grampeara um sujeito que mantinha a cabeça da mãe guardada no *freezer*. Quando perguntou o porquê daquilo tudo o criminoso justificou que a velha precisava esfriar a cabeça.

Eduardo não se conteve e emitiu um esboço de risada, a única da semana. Quando ergueu a caixa de papelão, o fundo se abriu, esparramando no chão seus objetos pessoais. A persiana de alumínio continuava se debatendo com o vento; Eduardo teve vontade de arrancar aquela porcaria aos gritos. Só então Luisa teve curiosidade de perguntar o motivo daquela movimentação toda. Horácio estendeu o *Correio da Noite* que saíra fresquinho da gráfica. Parecia feliz de dar a notícia, aquela espécie de felicidade que as pessoas têm ao serem os primeiros a avisarem que um ente querido morreu. Estava na capa: "Delegado afastado do caso Aline Vega". Junto, protestos do repórter pela arbitrariedade da polícia civil, que cada vez mais bate cabeça no caso, e que para abafar a incompetência chegara mesmo a prender o valoroso autor daquelas linhas.

O telefone sem fio deve ter sido acionado imediatamente após a reportagem do *Correio da Noite*. O juiz federal exposto ao escárnio ligou para o deputado Sergio Freitas com uma série de impropérios; o deputado ligou para o secretário de segurança com uma fala mais suave, mas externando sua preocupação de que o genro talvez precisasse de umas férias; enfim, na outra ponta da linha, o secretário de segurança rasgando elogios ao seu valoroso funcionário, que tantos bons serviços prestara à comunidade, que já tinha prendido gente de influência, não se tratava de represália portanto, para, enfim, atender ao pedido inicial: Eduardo agora passava para trás do balcão, limitando-se aos serviços administrativos.

Tudo isso sob a justificativa candente de que tomavam a atitude extrema para preservar o delegado titular. Eduardo acatou como bom soldado, embora já estivesse ciente de que abandonaria a sala do secretário nem um pouco disposto a se preservar.

Era difícil discernir quando Horácio estava sendo cínico ou sincero. Com o tempo e o hábito as duas atitudes se fundiram; sofria o mal das pessoas que são engraçadas, que divertem a turma, mas quando um belo dia contam que estão deprimidas, prestes a se atirar do viaduto, todo mundo cai na risada. Para Horácio o que acontecera fora providencial para o chefe. Eduardo podia, enfim, se tornar um mártir. Um abnegado que já enquadrara muito figurão e que fora afastado porque suas investigações ameaçavam enlamear as piscinas das mansões. O delegado era um homem do povo, trazia na carne a miséria e a opressão. Estava sendo condenado por prender criminosos. Horácio formulou a frase e a repetiu. O delegado já tinha o começo de um discurso para vereador.

Eduardo pensou que não poderia se despedir de Horácio sem uma rusga final, ficava até deselegante. Acusou Horácio de traidor, para desabafar e para ver abalada a postura de rei das ruas, de policial que resolve as coisas à sua maneira.

O delegado estava seguro de que Horácio sabotava a civil, fazendo o jogo de Baroni e, agora, alimentando o caderninho de notas do repórter do *Correio*.

Horácio reagiu com um discurso vitimizante disfarçado num tom de valentão indignado. Disse que podia ser tudo — rebelde, intransigente, intolerante, impaciente, agressivo, indisciplinado (mau caráter, Eduardo acrescentou) — mas não era traíra. Se o delegado não tinha a pista do assassino de Aline veja, que providenciasse seu autoflagelo. Ele se propôs até a emprestar o chicote, que guardava na terceira gaveta do armário embutido — usado para outros fins, claro, inconfessáveis por conta da presença da dama na conversa.

Os anos de experiência naquele tipo de discussão ensinaram a Eduardo que quase sempre a melhor resposta era virar as costas. Ele foi saindo, carregando a caixa com os dois antebraços firmes segurando por baixo, para prevenir novos acidentes. Três Pês surgiu oferecendo ajuda. Solidário, o investigador se prontificou a levar as coisas do chefe até o carro. Desejou boa sorte e retorno breve, ainda que duvidasse que isso aconteceria. Eram, de qualquer forma, palavras sinceras. Três Pês era um policial jovem, tinha no seu delegado chefe um modelo, e, além do mais, sabia que com a ausência dele o departamento acelerava o passo para o caos.

Antes de sair, Eduardo não se conteve e desejou boa sorte a Horácio nas investigações do crime. Embora, lembrou, sempre que um agente da lei apela ao segredo de justiça trata-se de um código cifrado que significa algo como "o verdadeiro segredo é que eu não tenho ideia de quem seja o assassino".

— A natureza ensina, doutor — respondeu Horácio com uma parábola —, um bom predador fica na moita.

— Você podia ao menos dar uma dica da sua investigação sigilosa? Só para gente não ficar com a impressão que você está mentindo — respondeu Eduardo, com a anuência de Luisa. — Ou que você seja um traidor — completou.

Horácio refletiu por longos três segundos.

— O que eu tenho a dizer é que no fim das contas, senhoras e senhores, a vida é sexo e violência.

PARTE III

NO FIM DAS CONTAS, A VIDA É SEXO E VIOLÊNCIA

19. Astro

Sem saber exatamente por que, Gabriel imaginava que no cárcere iria encontrar paz e contemplação. Uma espécie de veneno contra a angústia, que como qualquer droga só é boa para amortecer os sentidos. Tudo bem que não estava propriamente numa cadeia. A saleta que arrumaram para ele em nada se assemelhava a um cubículo cinza e úmido, com paredes descascadas anotadas com risquinhos verticais para marcar a passagem dos dias. O sofá era mais macio que um banco de cimento duro chumbado na parede. O incômodo saltava de uma mola que agredia suas costas na hora de dormir. Ainda assim nunca tinha imaginado que um assassino pudesse ter tanto conforto. Tinha até uma televisão portátil, dessas antigas que as donas de casa colocavam em cima da geladeira. O adolescente, durante aqueles dias que demoravam a passar, girou o botão dos canais centenas de vezes, sem ver nenhuma notícia do seu feito.

Sua inquietação aumentava em vez de diminuir. Tudo o que precisava ouvir era seu nome pronunciado pelo William Bonner. Melhor, pela Fátima Bernardes. Seu nome ficaria bem pronunciado na boca daquela mulher elegante, que com expressão contrita anunciaria a captura de Gabriel Flaquer, o homem que matou Aline Vega. Ia ficar legal: o Flaquer soaria como uma lâmina descendo sobre o pescoço de uma vítima indefesa, no melhor estilo filme de terror que tem quinhentas continuações. Fla... quer; assim, incisivo. Se pudesse opinar, o adolescente pediria para dispensar a tarja preta sobre os olhos. Uma vez uma amiguinha de colégio disse que ele tinha olhos bonitos. Eram levemente caídos, com os cílios longos.

Depois viriam as cartas. Uma vez lera numa revista que criminosos sexuais recebem correspondência de astros *pop* nos presídios. Quantas mulheres não declararam sua excitação para o maníaco estuprador do momento? São declarações de amor incondicional todos os dias, um frenesi que só compete com o dos astros da tevê. Mulheres que juram que vão abandonar marido e filhos. Candidatas e mais candidatas a visitas íntimas. Adolescentes, jovenzinhas, mulheres feitas e até senhoras que relatam em detalhes que à noite não conseguem dormir sem colocar um CD no aparelho de som e imaginar que estão esperando seus tarados com um jantar simples, mas de coração, e que depois de saciar o seu amado de arroz e feijão lhe saciariam com a carne. E assim prosseguiam os devaneios com o lençol e o travesseiro, sem que o marido nem ninguém jamais desconfiassem de nada. Um segredo só daquelas mulheres e dos seus *latin lovers* psicopatas.

Para Gabriel o sonho ainda nem começara. Não entendia por que permanecia anônimo, tinha feito um favor para a polícia em se denunciar. Queria cumprir pena, ser apontado na rua, merecia ser punido severamente. Não conseguia mais parar sentado, a saleta era claustrofóbica. Atravessava os dias andando de um lado para outro, o suficiente para completar uma maratona por dia.

Seus pensamentos daquele dia foram interrompidos por um chacoalhar de chaves.

Ainda faltava meia hora para terminar o almoço. Três Pês caminhou tranquilo pelo longo corredor com seu molho de chaves balançando no passante do cinto. Seus colegas gastariam o tempo regulamentar da refeição e mais uns vinte minutos do que eles chamavam de recreio, que era basicamente palitar os dentes e falar besteira antes de voltar para o mundo cão. Três Pês acertou na quinta tentativa qual era a bendita chave que abriu a porta da saleta onde Gabriel estava guardado.

O adolescente se encolheu num canto. Era a primeira vez que aquele policial aparecia para uma visita. Gabriel estranhou o colete preto e a insígnia de policial no peito. O que quer que o jogador de vôlei da boate onde Fábia dançou estivesse fazendo ali, dava medo.

— Eu sei o que você está pensando — Três Pês foi direto ao assunto. — Você já me conhece.

Gabriel assentiu. Três Pês abriu uma cortina cheirando a mofo e fingiu se distrair com as nuvens do lado de fora. Atrás dele, a porta escancarada, convidando o passarinho a bater em retirada da gaiola. Gabriel não teve coragem, como era de se esperar. Três Pês deu a ordem sem olhar para ele nem alterar o tom de voz.

— Se manda daqui, assassino. E finge que nunca me viu.

O adolescente não obedeceu de pronto. Em vez de correr, ficou prostrado no canto da sala, pés bem fixos no chão como se tivesse apego ao seu cárcere. Só o grito do policial o tirou da letargia.

— Anda, moleque! Desaparece!

— Para onde eu vou?

— Para casa, para o inferno, para qualquer lugar. Desde que seja depressa.

O investigador resolveu dar uma força, arrastando Gabriel pela camiseta. Parecia carregar um saco de cimento. Três Pês ia vencendo a letargia do garoto na base do empurrão e de tapas na cabeça. A cada solapada o moleque andava alguns metros pelo corredor, como num videogame.

— Você está livre, rapaz. Aproveita, o mundo é seu! Vai viver a vida.

Gabriel seguia catatônico. Fora da delegacia, a noite lhe parecia sem sentido. A liberdade lhe aparecia como a pior forma de opressão. Para casa, não iria. Depois de seu feito extraordinário, não fazia sentido voltar para seu mundo anterior. A outra opção lhe parecia temerosa. No entanto, levantou a cabeça e espantou os pensamentos negativos. Atitude. Agora seus pés sabiam para onde caminhar.

20. Controle

Metade de um dia sem trabalhar já fazia Eduardo se sentir como um aposentado de muitos anos, entediado até com o jogo de dominó. A noiva bem que tentara reanimá-lo com um jantar especial, e a promessa de uma massagem que tinha aprendido com uma de suas amigas atrevidas.

A insistência de Adélia para que Eduardo relaxasse o deixava mais tenso. A ansiedade era descontada no controle remoto. A cada canal o ator ou apresentador era substituído antes que tivesse a oportunidade de respirar. Vez ou outra o delegado afastado ia até a varanda e olhava para a rua, como se esperasse um roubo de toca-fita ou briga de gangues para arrumar o que fazer. Olhava no relógio de parede seguidamente, conferia se estava certo, voltava para a poltrona.

Adélia não se abalava com nada disso. Para ela não deixavam de ser vantajosas aquelas férias forçadas. Não precisava dividir seu negro gato com a bandidagem. Era questão de uma hora ou mais para o noivo tirar os olhos do vazio, os pensamentos de Aline Vega e as mãos do controle remoto — e em seguida dedicar olhos, mãos e pensamentos exclusivamente a ela. Confiava no seu poder de seduzir. Adélia estreara perfume novo para ficar em casa, vestia calça de ginástica justa e deixara o umbigo à mostra. Quando se conheceram, o primeiro elogio de Eduardo foi para o seu umbigo. Adélia retribuiu elogiando as mãos do delegado. Tinha sido a primeira vez que viu o sorriso do futuro noivo em mais de quarenta minutos de conversa. A expressão sisuda dera lugar a um sorriso de dentes brancos que contrastavam com a cor da pele. Ali ela fez a descoberta instintiva de que valorizar seu homem era a maneira de fazê-lo sempre voltar ao ninho.

Como se servisse ao seu rei, Adélia trouxe um coquetel ao noivo. Receita de revista, primeira tentativa, Eduardo precisava ser sincero na avaliação. O delegado bebericou um gole, tinha um gosto suave de pêssego. "Está ótimo", foi sua opinião lacônica e distraída. Mais que suficiente para Adélia completar o copo enquanto iniciava seu discurso para levantar o astral do homem combalido.

Ela ressaltou que achava um absurdo a atitude do pai. Só não tinha ligado para ele por um pedido do noivo, que não gostava que ela se metesse naqueles assuntos. Adélia sabia respeitar espaço e deixar bem claro de que lado estava. Poucas pessoas têm a personalidade de Eduardo, assegurou a noiva. Ele estava sendo punido por não se curvar. Com os dedos enrolados nos *dreads* do cabelo dele, afirmou invejar a coragem dele em desafiar o pai, o todo-poderoso deputado Sergio Freitas. Adélia confessou tentar fazer coisa semelhante desde que se percebeu uma garota cheia de ideias, mas embora tenha causado seus estorvos nunca se livrara de uma frustração mal resolvida. Talvez porque agia em função da reação do pai, enquanto o noivo agia em função do que acreditava. Quando confrontava o pai, ela virava noite tentando adivinhar suas reações; Eduardo, ao contrário, parecia ignorar a existência do sogro. Com as palavras de ânimo, Adélia passeava as mãos pelo pescoço do noivo. Os pensamentos de Eduardo ainda não tinham pousado naquela sala.

— Em que você está pensando?
— Em nada. Que horas são?
— Você não pretende ir embora, pretende?

Ela puxou as mãos dele para o seu rosto. Mesmo com três anos de relacionamento, Eduardo às vezes ainda se perguntava por que aquela moça de pele perfeita tinha se apegado tanto a ele. Ela era mais jovem, era mais bonita, era mais rica. Pensamentos vagos que iam se acelerando à medida que Adélia levava suas mãos para um passeio turístico pelo seu corpo. A barriga perfeita era a resposta inquestionável a quem dizia que horas de academia são um desperdício. Os ombros largos, confiantes. A mão por cima da blusa confirmava que Adélia dispensara o sutiã.

Mais um pouco e seria tarde demais para cortar o barato. Não era hora de brincar. Eduardo resgatou suas mãos de volta e com elas revirou sua pasta. Tirou de lá o mais recente exemplar do *Correio da Noite*. O jornaleco agora emendava um furo no outro, seu dono salpicava as ruas de edições especiais, feitas de qualquer jeito, às vezes só com quatro páginas. Importante era aproveitar o calor da hora e a competência inacreditável do seu repórter-fotógrafo-diagramador. A nova manchete caprichava na subliteratura: A noite escura de prazer e morte. A foto circulou pela Internet tão rápida quanto o sangue nas veias de quem a viu. As emissoras de tevê que arriscaram levá-la ao ar esfumaçaram a imagem para atenuar a ousadia. Aline Vega estava completamente nua, deitada de lado, uma perna sobre a outra deixando entrever os seus mistérios, os seios descobertos, o braço apoiando a cabeça. O mesmo sorriso triste. Na matéria, o repórter caprichava na poesia: "Cercada por todos, mas irremediavelmente só, Aline Vega só precisava de quem a protegesse".

Pareceria muito com a imagem que estampou o *outdoor* da sua revista masculina, se em vez de uma produção de luxo a foto do jornal não estivesse escura, sem definição, com a moça deitada sobre uma cama desarrumada e uma indisfarçável expressão de cansaço.

— Desse jeito eu vou ficar com ciúmes dessa moça. Você não tira ela da cabeça — disse Adélia, tentando fazer com que não parecesse uma reclamação.

— O desgraçado estava lá. Lógico.

— Quem estava lá?

A noiva falava sozinha. Ela pegou o jornal nas mãos, na tentativa de falarem a mesma língua. Sentiu raiva. Esse sensacionalismo só atrapalha, ensaiou o protesto. No rodapé da página, a equipe do DHPP em pose de temidos arautos da ordem. Eduardo à frente, escudado por Horácio, Luisa e Três Pês. Representantes da lei que iriam garantir a ordem e a harmonia social. Gente em quem a população podia confiar. As palavras, no entanto, não correspondiam à imagem. O jornalista desancava os valorosos homens da Civil, revelando conflitos internos do departamento e a trapalhada que havia sido a investigação até aquele momento. Uma ouvidoria iria encontrar alguns podres guardados nas salas do departamento.

Eduardo tinha o pensamento longe, mais propriamente na sua delegacia, o quartel-general de onde fora injustamente afastado agora que a sociedade mais precisava dele. Conferiu de novo o relógio. Àquela hora Três Pês já deveria ter feito o serviço.

O delegado abriu a pasta de novo, guardou o jornal e checou a arma. Depois a colocou na cintura. Adélia tentou de novo puxar suas mãos para ela. Precisava que ele a quisesse, a jogasse no sofá, fizesse amor com ela. Ela puxou seu rosto para si, disse uma bobagem qualquer no ouvido. Ele pediu desculpas. Ela deu uma risada nervosa.

— Onde você vai uma hora dessas?
— O assassino está prestes a aparecer. Confia em mim.
— Você não está afastado?
— Era o que você queria?
— Eu não gosto quando você inventa coisas que eu não falei.

Dessa vez as palavras saíram retesadas, prestes a romper o dique. Eduardo aliviou, dando um beijo no seu rosto e se despedindo. A sala de repente ficou vazia; Adélia tinha como companhia apenas sua raiva contida. Eduardo, enquanto isso, descia as escadas do prédio de dois em dois. Caso sua estratégia estivesse certa, decifraria o enigma Aline Vega na toca onde tudo começara.

21. Círculo

Horácio tirou sua cerveja de cima do jornal. O círculo molhado deixado pelas bordas do copo delimitou o rosto e parte do seio esquerdo de Aline Vega. O investigador deu um gole longo, daqueles para espantar o calor da noite, com os olhos baixos fixos na matéria. Depois ergueu o copo em direção ao seu companheiro de mesa, num brinde.

— Aposto que esse é um daqueles trabalhos que te dá a sensação de ter cumprido sua missão na Terra.

O repórter do *Correio da Noite* respondeu com um movimento de cabeça preguiçoso. Chegava ao cume de sua jornada, seus quinze minutos de fama se estendiam, tinha até trocado de barbeiro para fazer um corte mais caprichado. De jornalista tornara-se fonte. Enfim, a sensação de estar do outro lado do balcão, sendo ouvido, suas opiniões atraindo a atenção de milhares de telespectadores e leitores. Nas suas declarações públicas, caprichou no tipo. Só estava fazendo o seu trabalho, tentando reconstruir as últimas horas no Semelle's, que exalaram crueldade e luxúria. Sodoma é aqui: debaixo dos nossos narizes homens e mulheres atravessam a fronteira do sexo para a da violência. Sim, são nações vizinhas, cortadas apenas por um pequeno riacho. Paixões e ódios são dois nomes para a mesma doença, só mudam os sintomas. O repórter lustrou as metáforas, escolheu a dedo as figuras de linguagem, e naquele dia muitas vezes gostaria de vestir um chapéu panamá para compor o figurino de pensador que desvenda as entranhas da alma.

A saideira agora era com o investigador de polícia que o livrara do aborrecimento de passar o dia no DHPP. Ambos falaram mal de Eduardo: tinha perdido o juízo, botava banca demais, queria consertar o mundo para aplacar seus complexos. Mais cedo ou mais tarde sua máscara de homem ímpio cairia. Abuso de autoridade. Horácio livrou o repórter da breve estada no corró — um espaço pequeno, fechado e vazio, que contava com um buraco no chão como vaso sanitário —, e agora bebiam cerveja como se fossem velhos amigos.

Cada um com interesse no que o outro tinha a falar. Cada um fingindo que aquilo era só uma cerveja, uma porção de azeitonas e um papo furado para descontrair.

— Você vê... — Horácio tomou a iniciativa, com o dedo indicador martelando sobre o jornal —, muitas vezes nossa vida depende de um golpe de sorte.

— Eu chamaria de competência.

— Claro. Sem querer ofender. Mas tem aquela frase. Sorte é quando talento encontra oportunidade.

— Você gosta de uma frase feita, não?

Frequentemente a conversa era interrompida por um silêncio, como o dos jogadores de xadrez que ficam um tempo com o dedo sobre a peça antes de decidirem a jogada. Tomar a cerveja, acenar para o garçom trazer outra. Era a maneira de preencher o vazio e indicar que a conversa continua. Horácio considerou que era hora de mostrar os dentes. Não era um homem muito paciente; até ali tinha se surpreendido com sua capacidade de fingir educação.

— Sim, mas uma chance dessas... você há de convir... um repórter estar presente no local do crime. É como estar passeando nas Torres Gêmeas no dia do ataque. Se você não morrer, sua vida está ganha.

O repórter não respondeu. O garçom chegou com a garrafa. Horácio encheu o copo do colega. Pouco colarinho. Em seguida pegou os últimos exemplares do *Correio da Noite* e os colocou sobre a mesa, lado a lado. Aline Vega com o véu negro, Aline Vega nua na cama — em ambos o mesmo olhar e o mesmo sorriso para a câmera. Uma imagem que queria falar.

— Tem uma história aqui. Sem dúvida que tem. Uma história e tanto. Parece uma dessas séries policiais em capítulos.

— Quem sabe o próximo capítulo não é o seu. Até que você saiu bem na foto — rebateu o repórter, apontando para a imagem da equipe do DHPP.

O doce sabor da ameaça. Horácio tomou um gole para rebater. Xadrez psicológico exige calma; não adianta enfiar o rei pela goela do adversário. Existem dois tipos de investida. O primeiro é quando o policial chega abrindo fogo, de peito aberto, tendo como escudo de defesa o clarão de balas que sai do cano do seu revólver. É usada em casos excepcionais, quando o policial ignora os procedimentos e apela para o manual Charles Bronson de solução de conflitos, provavelmente por ter exagerado na anfetamina. O segundo método de investida, mais sensato, consiste em avançar etapa por etapa, com o corpo colado à parede ou ao chão, usando muros, postes, árvores ou o que mais possa servir como proteção. Horácio algumas vezes em sua carreira exagerara na anfetamina, mas com o tempo a experiência mostrou que o melhor método é de fato o menos emocionante.

— Você está louco para contar alguma coisa — disse Horácio de olho nas matérias. — Tem alguma coisa aqui nas... como é que se fala?

— Entrelinhas.

— Ouvi dizer que você sonhava em ser escritor. Você deve ter tomado nota de bastante coisa no seu caderninho naquela noite no Semelle's. Adoraria ler.

— A gente passa a vida sem definir nossa vocação. Você sabe do que estou falando.

— Você está questionando minhas credenciais, não está? Acha que eu sou bandido? Para ser polícia tem de se sujar.

— Sei, a conversa do buraco de rato. Frase feita. Pode ser que dia desses eu publique, entre aspas. Não vou te prejudicar sem ouvir o outro lado.

— Você não sabe de nada. Dá uma olhada para você, está todo excitado com a emoção de fazer parte de um crime. Eu já fiz parte de mais de uma dúzia.

— Parabéns, mestre!

— Quem sabe eu não te ensino algumas coisas! Eu posso te ajudar.

— Não sei se eu iria aprender. Eu sou meio limitado, sabe? — ironizou o repórter. Depois outro gole: — Qual seria a primeira lição? Como brincar na lama sem se sujar?

— Rapaz, eu não sou seu inimigo. Você está louco para falar alguma coisa. Dá para sentir o desabafo quase... quase... — e, na falta de uma expressão melhor: — Quase exalando pelos seus poros.

— E você está se dispondo a ser meu ombro amigo.

— Por que não? Se é isso que você quer saber, eu conheço o Baroni, sim, há muitos anos. Essa raça convive comigo desde que eu deixei de empinar pipa para brincar com marginais. Mas hoje eu estou do outro lado. Eu odeio esse tipo de gente, tanto quanto você odeia.

— A-ham. Uma espécie de Lúcifer ao contrário, que renegou o inferno para ascender aos céus.

O sujeito estava mesmo na defensiva. Horácio resolveu mostrar as cartas.

— Se você quiser, liga o gravador e eu faço minha confissão. Sim, meu prezado repórter, eu sou um policial corrompido, uma vergonha para minha ex-mulher e para o meu filho. Sou um mau pai, meu filho está metido com drogas e que moral eu tenho para reclamar? Na polícia não tem mais lugar para mim, muitos acham que eu jogo no time dos bandidos. Minha saúde está deteriorada, sigo uma dieta de destilados nos dias pares e não destilados nos dias ímpares. Meu caráter não é dos melhores. Fecha aspas. Mas, peço que publique o outro lado. O outro lado de mim mesmo. Eu quero pegar esse assassino.

— Você tem alguma razão realmente convincente?

— Desafio, não sei. Vaidade. Ou até para fazer justiça. Eu também tenho minhas fraquezas.

Os dois sondavam um acordo. Como em toda negociação, quem se expõe primeiro perde. Horácio apresentava seu currículo de policial disposto a tudo — imoral, para os desafetos. Me dê o assassino, que eu carrego esse pacote pesado no seu lugar, era o que tentava dizer. Por outro lado, estava claro que alguma força superior impedia o repórter de pronunciar o santo nome do assassino; se pudesse, já teria virado manchete. Horácio pensava em usar métodos mais agressivos, o tipo de possibilidade que fazia parte do seu DNA. Mas se tinha o poder das armas, o outro tinha o poder das letras. O repórter deixou explícito nas tais entrelinhas que com um movimento em falso iria escancarar seu passado nas páginas do seu jornal. Os leitores reagiriam indignados — todas as pessoas de bem que não entendem nada sobre estar nas ruas e pensam resolver os problemas do mundo pela Internet. Nunca mais Horácio conseguiria demonstrar que seus métodos tinham um propósito e, embora soe demagógico, são os melhores possíveis. Sua carreira estaria arruinada, e Horácio não planejava tornar-se segurança de supermercado para vigiar moleques que roubam salgadinhos e velhas cleptomaníacas. Até porque pensava em enfiar seu filho numa clínica de recuperação, e isso exigia dinheiro.

O repórter meditou alguns segundos. Depois se levantou.

— O papo está bom, mas eu tenho que ir.

Horácio agiu rápido, segurando-o pelo braço.

— Agora que o papo vai começar.

— Vai me prender? De novo a polícia vai dar esse vexame?

— Alguém fez alguma coisa muita feia e você quer me contar. Prometeu segredo? Chantagem? Covardia?

— Você é policial ou psicólogo?

— Me veja como um cara bem mais velho que já viu de tudo. Nós podemos ajudar um ao outro. Uma dupla para fazer o bem, hã? O que me diz?

A reação ligeira e decidida do repórter surpreendeu o policial veterano. Ele recolheu as notas amassadas que deixara sobre a mesa.

— Tudo bem, eu vou te dar o verdadeiro assassino. Mas você paga a conta.

22. Tempo

O garoto de programa tinha o corpo acuado e a expressão tomada por um pânico indignado. Chegou mesmo a ficar engraçado. Seu rosto se contorcia como uma máscara gelatinosa, que montava figuras de desenho animado.

Tudo que ele conseguia repetir, gritando em meio ao barulho, era que iriam chamar a polícia. Dona Eurides ignorava não só a polícia, mas tudo que se passava ao redor. Estava concentrada em destruir o apartamento.

Ele não soube que palavras usar — não era com retórica que ganhava a vida —, por isso com dois ou três questionamentos irritados da velha amante confessou que tinha se apaixonado por uma mulher e pretendia "dar um tempo" no relacionamento. Uma observação pateticamente educada, claro, pois se lhe questionassem sobre a duração desse tempo responderia: "só até a velha morrer".

O medo da polícia, no caso, não se devia a algo de errado que eles pudessem ter feito juntos no passado. Os traumas, muitas vezes, são os únicos laços que conduzem às bodas de prata. O garoto de programa não estava mais se importando com chantagens e ameaças. Já estava na hora de sair do purgatório. O paraíso o aguardava junto àquela mulher vivida e inocente — ainda havia inocência nesse mundo decaído — que tivera coragem de abordá-lo e demonstrara intenção de querer dele algo mais do que sexo. Luisa Camargo, era o nome de sua escolhida. Um nome comum, mas ele acreditava na ajuda do destino e na lista telefônica. O garoto veterano voltara a apostar no amor. Não perdoava, por isso que dona Eurides era um obstáculo ao seu idílio.

Os gritos da moradora do 704 de fato chamavam a atenção dos vizinhos, que se aboletavam nos seus penhoares nos corredores para acompanhar melhor a discussão. O rompimento escandaloso, todos já sabiam, era só questão de tempo. A vizinha do 704 era encrenqueira, mal educada, taciturna; o amante, um desqualificado. Combinação que costuma terminar em facadas, ossos quebrados, finais felizes assim. O aposentado do 307 vestiu seu pulôver para se apresentar aos demais mais asseado, e defendeu a presença das autoridades da lei. A proposta foi postergada, até que pudessem acompanhar a briga por mais tempo. Não se arrependeram. Os gritos que ecoaram pelo corredor trouxeram uma virada emocionante à trama.

"Você matou a minha filha!" O grito amargo de dona Eurides ecoou pelo edifício. A acusação final, num crescendo que começara com aproveitador, traidor e passara até por impotente. O garoto veterano assegurou que ela havia enlouquecido, sugeriu internação. A velha senhora recusou a água com açúcar e qualquer tipo de consolo. Por que se acalmar? Por que tentar ser feliz? A única coisa que a prendia à vida anunciava que estava partindo. Finalmente dona Eurides dava de cara com a dor que a acompanhava, insidiosa, aonde quer que ela fosse.

Durante longos minutos não se ouviu nada além de um ou outro lamento abafado. O garoto de programa ficou aliviado com o cessar-fogo. E com o fato de não ouvir nenhum barulho de sirene. Do lado de fora os vizinhos se perguntavam se não tinham tomado a decisão errada. O aposentado exultava por ter sido o único a manter lucidez: agora não havia mais necessidade de polícia, e sim de ambulância.

O garoto de programa pegou o seu casaco do cabide. Sentia-se cruel por lembrar do casaco antes de sair. Havia sido presente da amante abandonada, era de couro de antílope, peça cara. Por outro lado, achou que a peça de vestuário poderia sugerir uma lembrança permanente dela, uma marca da separação. Não queria fazer ninguém sofrer. Ele gostava dela, um gostar misturado com comiseração e desprezo. Tiveram momentos juntos. Os mais singelos era o que ele lembrava naquele instante. Os dois jogando cartas, por exemplo, isolados naquele apartamento. A receita de felicidade, muitas vezes, é não desejar nada. Coisas simples são suficientes.

Ela engoliu o choro, como gostava de ensinar à filha. Melhor se mandar, pensou o rapaz, antes que dona Eurides se irritasse com a sua postura vacilante. Ensaiou uma palavra de despedida qualquer, mas no fim optou pelo silêncio. A amante tinha vivido sua vida, precisava viver a dele. Veio à sua mente os olhos atentos da mulher amada. Iria re-encontrá-la e viveriam juntos, em algum canto sereno.

A porta fez um *clic*. Dona Eurides olhou em volta — algo a impelia de avaliar o tamanho da sua miséria. Um detalhe a rasgou como uma lâmina afiada. A chave que ela tinha dado a ele — escancarando a porta do seu apartamento e da sua vida — deslizou pelo piso de madeira até parar nas franjas do tapete. Ele enviara a chave por baixo da porta. Nada de esperanças, era a mensagem.

A senhorinha se levantou enquanto decidia se esquentava um café. Era noite, tinha muita coisa para arrumar. Melhor deixar para outro dia. Foi bom ter arrancado a cortina, amanhã entraria mais luz no apartamento. O amante tinha jogado na cara que ela era uma velha, mas dona Eurides não se lembrava exatamente com quais palavras. Seria importante lembrar, para poder avaliar a situação com mais calma. Abriu a janela. O barulho da noite se amplificou. Num barzinho com mesas na rua a juventude se divertia. Nada como um pouco de nostalgia. Calculou a distância até a calçada. Viu de longe o amante passar apressado.

Ele ainda parou em frente à banca de jornais, pegou um jornal na mão com seu jeito ansioso e ali ficou, congelado como uma estátua.

Talvez fosse melhor ela descer, pensou dona Eurides. Mas estava com os olhos inchados, a testa enrugada, as pálpebras caídas.

Nada que um banho de espelho não resolvesse. Do lado da cristaleira havia um espelho antigo, dos tempos de casada. Dona Eurides lembrou quando gastou uma nota do falecido naquele espelho. Tinha gostado da moldura. Olhou o seu rosto nele. Virou-se de perfil. Ainda estava inteira, fazia ginástica, não era preguiçosa. Não era nem ao menos velha: os olhos mortos, as rugas profundas, as marcas na pele, tudo isso eram a beleza do tempo.

Havia muito tempo não sentia o gosto salgado de uma lágrima, criando um caminho pela pele, até secar ou mesmo se derramar no chão. A senhorinha tomou para si a obrigação de chorar. Iria fazer bem, aliviar. Só precisava de concentração. Não lembrava que era tão difícil chorar, mas para cumprir sua missão inventou um sistema infalível. Pensar na filha. Escolheu bem as lembranças para provocar um efeito triste. Aline correndo no parquinho, o vestidinho novo, a sandália que ela tinha visto na propaganda. Aline contando da escola, de como as professoras gostavam dela. Aline morta, as flores cobrindo os machucados no caixão. A filha sempre se machucava. Precisava chorar. Precisava.

Na calçada, a crença no destino do garoto de programa se confirmou. Ele ficou longos minutos, catatônico, olhando para o exemplar do *Correio da Noite*. Mal acabara de decepcionar alguém e a mesma dor voltava-se para ele. Sua adorada Luisa estampava a capa, numa pose masculina, olhar agressivo, com a equipe da Polícia Civil que investigava o caso Aline Vega.

23. Porta

Quando Ramón invadiu a sala para anunciar que um "figurão" queria vê-lo, Silas Baroni estava no meio de uma entrevista para uma revista de fofoca. Contava justamente a parte mais instigante. Na noite anterior, Baroni transara com a sua mulher de número mil. Não teve homenagem às criancinhas do Brasil, como Pelé no Maracanã, mas os fogos ele garantiu. A jornalista nem esboçou um sorriso. Tomava anotações mecanicamente, entediada — provavelmente gostaria de estar cobrindo assuntos dignos. Ou de perguntar quantas das mil mulheres eram profissionais, o que colocaria a glória na sua devida perspectiva.

Ao ser interrompido no clímax de sua narrativa, Baroni ficou irritado com mais aquela invasão do seu fiel escudeiro. Ramón era uma cópia mal acabada do chefe; deveria ter transado com dez por cento da sobra do mentor.

— Figurão de qual naipe? Banqueiro? Ministro? Que espere. Eles têm o dinheiro e o poder, mas eu tenho o sexo.

Baroni gostaria que a jornalista tivesse anotado a frase, mas ela já guardava os pertences na bolsa. Ela estendeu uma mão flácida em despedida e recebeu um beijinho carinhoso da sua fonte. Ramón esperou ela sair para continuar. Estava ficando mais astuto.

— Delegado de polícia. Aquele mais escuro.

— O que o traz aqui, nobre delegado? — disse Baroni já desviando a atenção. Eduardo tinha entrado no recinto sem convite, e teria dado ordem de prisão por racismo se não tivesse coisa mais importante para fazer.

— Vim dar uma batida no estabelecimento.

— Tem mandado?

— Está aqui — foi a resposta, já puxando a franja da camisa para exibir a arma. Baroni tinha feito um ano de Psicologia, mais do que o suficiente para aprender que não se mexe com um homem em fúria. Assim, colocou a casa à disposição, não sem antes ordenar a Ramón que saísse na frente para ver se estava tudo em ordem.

— É desagradável receber visitas quando a casa está uma bagunça. Se a autoridade tivesse avisado eu preparava alguma coisa.

— Não está feliz com a surpresa? — disse Eduardo. E, para Ramón, que já estava na porta. — Você fica parado aí.

Eduardo saiu na frente, explorando a suntuosidade do Semelle's. Cada salão dava em corredores que por sua vez desembocavam em salões ainda mais luxuosamente decorados. Ambientes para todos os gostos. O delegado passou por uma noite árabe, por uma clínica com massagistas nuas, por um bar de viciados em futebol e garçonetes atrevidas. Os clientes se constrangiam com a presença daquele estranho, cujo caminhar nada descontraído anunciava não pertencer à confraria dos adoradores de piranhas. Logo percebiam, no entanto, que o estresse não era com eles e voltavam ao que interessava.

Baroni seguiu seu visitante porta a porta, alternando informações de guia turístico com tentativas de descobrir a que devia a honra da visita.

— Aqui é um lugar reservado, gente que não gosta de se expor — mostrou abrindo a porta sem se importar em escancarar a intimidade do grupo de sete ou oito pessoas. — Troca de casais, já experimentou? A propósito, eu li errado ou o senhor foi afastado?

O delegado seguiu em frente, tratando Baroni como um inseto que não iria lhe desviar a atenção. Uma escada em espiral levou para o andar de cima, onde tudo o que havia eram portas. Muitas portas lado a lado em um corredor que percorria todo o piso retangular. Do andar de cima o cliente podia fumar um cigarro apoiado no parapeito e acompanhar a alegria desenfreada dos salões térreos. Eduardo foi abrindo cada uma das portas. Na maioria flagrava casais fazendo sexo. As mulheres davam gritinhos, se cobriam com os lençóis. Os caras ou paralisavam, perplexos, ou ensaiavam uma ofensa. Eduardo ignorava e logo partia para a próxima checagem. Baroni zunia em sua orelha.

— Essas pessoas só estão fazendo sexo, delegado. Elas poderiam estar matando ou roubando. O senhor não tem nada mais importante a fazer do que dar batidas em bordéis?

A arbitrariedade de que fora vítima trouxe de volta ao delegado o instinto que parecia perdido. O animal acuado aguça seu faro, afia suas garras, apura os sentidos. Eduardo sabia que atrás daquelas portas estava a resposta que ia reconduzi-lo ao posto de titular. Ou, então, que o puniria por indisciplina. De qualquer forma, estava disposto a resolver o caso à sua maneira.

Na cola dele, Baroni tentava fisgar o peixe com seu poder de convencimento. Alegava que não tinha nada a ver com o que se passava naqueles aposentos. Seu negócio era alugar um canto aconchegante para pessoas fatigadas poderem repousar. Um lugar para esquecer família, amantes, negócios. Era crime? Se estamos no inferno, o negócio é não deixar o fogo apagar. A velha filosofia de transformar lixo em ouro. O blablablá que convencia até gente esclarecida, que alçara sua triste figura à condição de herói nacional. O anarquista do prazer.

Agora as portas estavam chegando ao fim e seu repertório tinha se esgotado.

A interrupção aconteceu no momento mais delicado. Quando o delegado escancarou a porta do seu quarto, Gabriel estava no ponto para a sua primeira vez de verdade, com uma mulher viva. Na atmosfera erótica do quarto do Semelle's, o adolescente tentara consumar o ato uma ou duas vezes com uma garota linda, capa da revista masculina de outubro, mas a inexperiência o traiu. Ela agiu como boa profissional, e por um instante Gabriel realmente acreditou na sua pureza. Conversaram, ela o fez relaxar. Agora tinham todo o tempo do mundo. Serviço no capricho, pois a menina sabia que se tratava de cliente especial do chefe. Enfim, Gabriel se sentiu aceito. Da sala desconfortável da DHPP àquele quarto com cama gigante e travesseiro macio. Estava pronto para dizer adeus à sua virgindade quando aquele seu velho conhecido entrou, com seu cavanhaque espetado e seu olhar de censura. Eduardo flagrou Gabriel no seu melhor momento, um trauma que seria difícil de contornar no futuro.

24. Leite

Circular jogado na parte de trás de uma viatura não é o tipo de passeio que as pessoas planejam. O espaço é abafado, o banco impregnado de nicotina, e a cada curva acelerada ou buraco no asfalto o passageiro é atirado de um lado para outro como um boneco. Tudo isso ainda é secundário. O pior é a sensação de que a civilização vai ficando para trás. Em cada rua que o veículo da DHPP entrava havia cada vez mais mato e menos gente. O breu do lado de fora assumia contornos sinistros, e Gabriel, amedrontado do lado de trás, aguçava os sentidos para tentar descobrir para onde o estavam levando.

O adolescente chegava mesmo a acreditar que os dois policiais do banco da frente tinham em mente uma solução extrema. Sua cabeça era ocupada por ideias obsessivas, lembranças e pensamentos desconexos. Hora de superar Aline Vega e partir pra outra, havia muitas paixões para serem vividas, foi uma das verdades que lhe ocorreu. Difícil pensar com clareza com a turbulência da viatura e daquele início de madrugada de um dia que parecia não acabar.

Gabriel tinha começado o dia mais intenso de sua vida na sua salinha particular da Civil, estágio intermediário entre a glória e a miséria. Havia algumas horas encontrava-se no paraíso, de onde foi expulso antes mesmo que pudesse experimentar a Eva. O delegado Eduardo invadiu seus novos aposentos quando sua virgindade já estava pela contagem regressiva. Gabriel sofreu de susto e frustração, que talvez lhe favorecessem alguns distúrbios sexuais, mas pelo menos o delegado de pele escura o deixou em paz.

Eduardo não importunara Gabriel nem as moças do Semelle's. Sua discussão foi exclusiva com o dono do lugar. O delegado tinha a prova de que Baroni estava dando abrigo a Gabriel. Recepção no inferno mais caro da cidade, com direito à capa da revista de outubro. Caridade é que não podia ser. Para o delegado era evidente que Baroni era o arquiteto por trás do plano de enviar Gabriel à sua delegacia para assumir o crime. Baroni estava ocultando um assassino de verdade e, por causa disso, ordenou o delegado, chegara a hora de revelar quem era.

O dono do Semelle's invocou os seus direitos, num acesso de indignação. Ele sacou logo o seu celular, mas antes que completasse a ligação para seu advogado, Eduardo torceu seu braço para trás e o algemou, arrastando-o para fora com a promessa de que o silêncio agora teria um preço alto.

Para Gabriel, a paz que se seguiu durou pouco. Horácio chegou alguns minutos depois e encontrou o rapaz enrolado numa manta, recebendo cuidados maternos das prostitutas. Uma lhe servia leite morno para que se acalmasse. Outra era do tipo curiosa, queria saber se era verdade mesmo que ele tinha estrangulado Aline Vega. Horácio se inteirou, com perguntas incisivas, de que Eduardo saíra com Baroni, prontos para um papo entre bons inimigos. Gabriel foi então arrancado do colo de uma prostituta que cheirava a talco, com o convite irrecusável de Horácio para que o acompanhasse.

Horácio agiu rápido, típico perfil de quem gosta de trabalhar na pressão. Ao celular, convenceu Três Pês da importância de encontrarem Eduardo. Três Pês era o único policial que dedicara lealdade ao chefe na sua derrocada, deveria saber para onde Eduardo arrastara Baroni.

Antes mesmo que tivesse tempo de abotoar a camisa, Gabriel já rumava na escuridão para dentro da viatura descaracterizada — que circulava pela noite como uma perua *blazer* qualquer. O adolescente vivia seu momento ritual de passagem, o momento em que abandonamos a inocência e percebemos que nossos atos geram consequências. Estava na hora de crescer antes que fosse tarde demais.

— Não fui eu! Eu não matei a Aline Vega! Eu juro!

No banco dianteiro Três Pês e Horácio, ao volante, voltaram-se para o moleque assustado e depois trocaram um olhar, antes de darem risada. O pronunciamento que Gabriel adiara até o limite, as palavras que quase obstruíam sua garganta, a sua explosão de honestidade serviram no máximo para quebrar o silêncio. Ele mal podia acreditar que seus algozes começaram a falar de outros assuntos.

— Ainda com essa cara de paisagem? — Horácio provocou Três Pês. — Vai por mim. Você está fazendo um favor para o chefe.

— Ele pediu para eu guardar silêncio.

— O Eduardo é muito obstinado. Ele é o pior de nós todos. Sabe que minha admiração aumentou depois do que você me disse? Sabia que uma hora ou outra ele ia deixar o ódio distribuir as cartas.

— E esse coitado aí de trás?

— A gente acha um lugar para desovar o corpo.

Divertiram-se ainda mais, nada como uma piada macabra para descontrair. Gabriel, atônito, desatou a falar. Em dois minutos de catarse falou mais do que o tempo inteiro em que estivera nas mãos da Civil. Em palavras atropeladas, jurou que nunca fora ninguém, era um perdedor, o garoto menos popular do colégio. Ninguém olhava para ele, não sabia jogar futebol, não fazia parte de uma banda de garagem, tinha medo das meninas. Era magro, branco, coberto de pintas marrons pelo corpo e caminhava com os ombros arqueados. Era menosprezado, espezinhado, constantemente apaixonado e ignorado. Três Pês logo interrompeu porque não ia aguentar a choradeira: o que interessava tudo aquilo? Gabriel disse que estava contando os motivos da sua falsa confissão. A sugestão de assumir o assassinato de Aline Vega foi como a descoberta de uma vocação, com direito a prêmio de incentivo. Só queria que os policiais entendessem o tamanho da sua desgraça.

Por fim, Gabriel deixou-se largar no banco, aliviado. Nunca falara com ninguém assim antes. Era bom pôr para fora.

Horácio largou as mãos do volante e ensaiou um aplauso.

— Bom. Muito bom! Mas o *show* veio meio tarde. Agora eu estou convencido de que você matou a garota.

— Eu juro que não. Juro pela minha mãe. Ela deve estar preocupada comigo.

Desde a hora em que Horácio encontrou Gabriel acuado no Semelle's, o moleque tinha mais de uma vez usado o santo nome da mãe para livrar a cara. Ele parecia capaz de contar para a polícia que era um homicida, mas tinha medo de dizer à mãe que quebrara uma vidraça.

— Tenho pena da sua mãe — respondeu Horácio. — Não vai ser fácil assumir que criou um assassino. Ela te dava armas de brinquedo? Te ensinou a dar estilingada em passarinho?

Gabriel não se conformava com a ironia do mundo. Quando garantiu que matou, a polícia duvidou. Agora que ele jurava inocência, a polícia o tratava por assassino. O desencontro tinha que acabar, enquanto havia tempo.

— Eles me prometeram que iam me dar um lugar para morar. E, também... — Gabriel hesitou, envergonhado. — E também que eu ia poder ficar com as meninas, todos os dias.

— Sei. Você confessa o crime, passa alguns meses no reformatório e sai maior de idade, prontinho para assumir seu posto de príncipe da zona.

Gabriel deu um suspiro aliviado. Aquele policial podia ser bruto, mas sabia colocar as coisas em palavras claras. Enfim, tinha esclarecido sua maluquice da última semana. Podia dar adeus à sua cota diária de mulheres perfumadas, mas pelo menos ficava vivo.

— Então não foi você que matou a piranha? — insistiu Três Pês.

— A Aline não era piranha.

— Você gostava de verdade dela, não gostava? — Horácio quis saber, com curiosidade genuína.

— Eu amava ela.

Três Pês deu de ombros. Como um abestalhado podia causar tanto estrago? Sentiu-se no dever professoral de ensinar alguma coisa sobre mulheres.

— A gente sempre se apaixona pela mulher dos nossos sonhos. Quando a gente percebe que ela é uma piranha já estamos destruídos.

O garoto ensaiou responder, não poderia deixar por isso mesmo. Mal começou a falar e recebeu um cala a boca. Três Pês guiou Horácio onde ele deveria fazer a curva. Uma entradinha lateral, o veículo quase atola no terreno acidentado. Depois uma rua escura, de terra batida. Mesmo seus habitantes não podem imaginar o quanto São Paulo é grande. Mais fácil o ser humano chegar a Júpiter do que explorar cada quebrada, cada beco da cidade. Horácio gostava de se enfiar em bueiro, mas aquele que Eduardo arranjara o surpreendia. O delegado estava mesmo disposto a fazer o serviço sozinho, longe até dos olhares dos fantasmas. No fim da rua, um galpão abandonado. Três Pês mandou parar, melhor chegar a pé.

Gabriel se agitou com aquela parada no fim do mundo. O desespero bateu, quis espernear, mas um revólver na cabeça lhe pediu educadamente que se comportasse. Gabriel descobriu, com a experiência de seus 17 anos, que chega um momento em que é inútil brigar com a morte. Uma iluminação, enquanto descia da viatura com as pernas trêmulas e o cano frio na têmpora. Lembrou do cartaz com o *show* de Aline Vega. Naquele dia jurou que tornaria sua vida emocionante. Tinha atingido seu objetivo com louvor.

Horácio tirou uns papéis amassados do bolso.

— Sabe o que é isso? Laudos. Laudos do IML e da Criminalística. Dizem coisas bem interessantes. Quer saber?

Gabriel respondeu imediatamente que sim. Tinha direito a conhecer a sua extrema-unção.

— Você fez sexo com Aline Vega. Suas marcas no corpo dela são tão fortes, que foi como se você assinasse o crime. Esperma, marcas de mãos no pescoço, nos ferimentos. A perícia pode garantir diante do júri que você foi o último cara a estar com ela. Deve ser uma honra para você, não é verdade? Sendo assim, amiguinho, você está encrencado.

25. Tubarão

— Deixa disso, delegado. Não é o seu perfil.

O maior incômodo para Baroni não era estar algemado a uma pilastra, com os braços para trás, mas o fio de sangue que escorria pelo nariz. Abominava tudo que coçava, tudo que pinicava, e só iria entrar em desespero se as formigas que passavam ali por perto desviassem o caminho e subissem pelas suas canelas. O empresário da noite resistira bravamente à primeira hora de conversa, e embora ficasse surpreso com a virulência do delegado, estava convicto de que entre as ameaças e a ação havia uma fronteira que Eduardo não era capaz de cruzar.

Era a mesma dúvida que assaltava o delegado enquanto olhava para a noite pelas amplas janelas do galpão — algumas ainda tinham os vidros partidos, resultado da diligência de alguns dias atrás, em que desmantelara uma quadrilha de veículos roubados. Cada vez que Eduardo interrogava seu suspeito sua credibilidade sofria um baque. Ele afirmou mais de uma vez, com convicção, que Baroni não sairia inteiro daquele galpão caso não contasse o que sabia da morte de Aline Vega. Baroni silenciara, mesmo com o cano do revólver cutucando sua glote. A aposta do empresário da noite era que o gesto sutil de puxar o gatilho se chocava irremediavelmente com os valores do seu inquisidor. Eduardo seria assolado pelo resto de seus dias pela incerteza sobre a justiça do seu ato. Uma dúvida que paralisava os músculos do seu dedo indicador.

Eduardo considerava Silas Baroni uma doença social. Um ser mesquinho que remava na contramão da lei, cuja onipotência e impunidade eram um insulto aos que escolhiam a ética. O fato de Baroni não temer a polícia — e mesmo zombar dela pelas costas — era a evidência de que o idealismo fracassara. O oponente podia estar com a razão: Eduardo não tinha perfil de infrator. Acontece que as pessoas mudam.

Até ali o plano de franco-atirador receberia um dez com louvor em todos os itens. Ao último solidário, o policial Três Pês, o delegado pedira que libertasse o moleque da sala do fundo. Esperou o dia passar na casa de Adélia, seguindo o papel de funcionário disciplinado que acatava orientações superiores. Quando a noite caiu, teve de abrir mão de seus momentos de prazer para verificar no Semelle's se sua hipótese estava correta. Receou frustrar-se consigo mesmo, mas o encontro com Gabriel provou que o grande demiurgo por trás da confissão era mesmo Silas Baroni. Agora, ali no seu inferno particular eram só os dois — longe dos advogados e do estado de direito, que quase sempre colabora mais com o bandido do que com o cidadão.

No seu canto, Baroni não perdia o ar frívolo e desdenhoso. Se fosse machucá-lo, calculou Eduardo, não seria com o adversário amarrado. Optaria por um duelo sem armas, trazendo de volta um tempo nostálgico em que os homens apresentavam seus melhores argumentos com os punhos.

— Por que é que lhe interessa pegar o assassino? Você vai ser promovido por isso? Vai ter aumento de salário? Vai receber uma medalha de honra ao mérito? Vai sentir que está dando a sua inestimável contribuição social? Vai mexer nas estatísticas de homicídio? Assim que você trancar um, já vai ter outro matando na próxima esquina.

A retórica de Baroni era a besteirada de sempre, mas a pergunta tinha pertinência. Eduardo se perguntou por que o caso Aline Vega incendiara suas vísceras, por que se envolvera nele tão vividamente a ponto de mudar de estilo. Justiça? Ressentimento? Provar que ainda era o melhor? Tudo misturado, talvez. Ou alguma dessas razões insondáveis que nos movem míopes para um destino que não escolhemos.

O fato é que Eduardo estava diante de um dilema que se voltava contra ele mesmo. Decidira testar suas convicções levando Baroni para uma situação limite. Mas Baroni contra-atacou trancando o jogo. Ele só se convenceria de que valia a pena uma confissão se realmente sentisse no seu algoz a intenção de matar. O gosto por sangue, o pulsar elétrico nas veias, o prazer de ser senhor da vida alheia — todos fatores que um matador ou tem ou não tem. Para o delegado restava ou descobrir com urgência o assassino que habitava seu espírito ou seria melhor dedicar-se a trabalhos que não levam a condição humana tão longe.

— Você não vai mesmo me contar quem matou Aline Vega?

— Você vai mesmo insistir nessa história?

A empáfia de Baroni não cedia mais um milímetro, confiante de que sairia ileso. Mais uma história para contar. Mais um capítulo da eterna repressão social contra libertários como ele.

A chegada abrupta dos colegas de equipe deu a Eduardo a chance de adiar seu dilema para uma próxima ocasião.

Horácio e Três Pês entraram no galpão com seu suspeito combalido, cada um o arrastando por um braço, como se controlassem um elemento perigoso. Gabriel vinha praticamente arrastado, cabeça largada, olhar vazio, a velha história de repassar sua vida como num filme.

— Toma aqui seu assassino — anunciou Horácio, empurrando o garoto na direção de Eduardo. Gabriel trançou as pernas e terminou com o rosto no chão de terra.

O delegado ajudou o adolescente a se levantar, ainda sem entender o motivo da visita surpresa. Baroni lançou um sorriso amigo para o velho e bom Horácio. Estava devendo essa.

Para abreviar explicações, Horácio sacou logo os laudos da perícia. Estava tudo lá. Todos os indícios apontavam para o jovem assassino. Um prodígio do crime, tinha futuro, quem olha não diz que o moleque é sanguinário.

Era informação boa demais para ser descartada. Mesmo assim o delegado da DHPP não se convenceu de que aquele garoto que o encarava em pânico tinha tomado um fio de arame nas mãos e pressionado sobre o pescoço de Aline Vega até sufocar. Antes disso, um espancamento de quem está tomado por ódio; depois, uma romântica sessão de sexo com o cadáver à luz do luar. No entanto, os laudos diziam que era exatamente isso que ele tinha feito.

Eduardo ficou um tempo analisando os papéis e tentando agir com a razão.

— Posso me retirar agora? — perguntou Baroni com o cinismo renovado.

Horácio ignorou. Hora de uma conversa franca com o chefe.

— Sei que meu conselho não vale nada, mas é hora de exibir o assassino — disse apontando para Gabriel. — Vai pegar bem. O herói justiceiro não desistiu e solucionou o crime mesmo, sendo afastado do caso. Senso de dever é isso.

— Olha, doutor, eu só os trouxe aqui porque essa papelada me convenceu. De repente o senhor ia fazer a coisa errada — disse Três Pês como um pedido de desculpas.

Eduardo ainda permaneceu hesitante. O ódio sufocado que o levara àquela jornada de violência, ameaça e confronto consigo mesmo agora era refreado pela letra fria de um documento. À sua frente, um homem algemado que amava vestir o figurino de delinquente; ao seu lado, um garoto que deveria estar nostálgico dos bolinhos de chuva da avó. E as provas apontavam que o assassino era o segundo.

Horácio se aproximou, solidário.

— Tem muito bandido aí fora esperando por você, doutor. Você prefere sair da ativa? Vai vestir o pijama e de noite passear por aí algemando e matando criminosos, um por um?

— O departamento vai andar para trás sem o senhor — completou Três Pês.

O delegado assimilou a situação e foi em direção à porta. Chegara na sua encruzilhada. Hora de pensar com clareza. Com um gesto, ele pediu a Três Pês que trouxesse Gabriel.

Depois que saíram, o silêncio do galpão era só quebrado pelo som de grilos do lado de fora e dos resmungos de Silas Baroni.

— Você esqueceu de pedir a chave dessa porcaria. Esse teu delegado ainda vai me implorar perdão. Todo esse carnaval para nada. Sabia que ele não matava ninguém.

Horácio sacou o seu revólver. Não o oficial, mas o que tinha o número de identificação raspado.

— Ele não mata, mas eu mato.

— Que é isso, Horácio? Que brincadeira sem graça! Abaixe essa droga! Você sabe que eu não mato ninguém. Eu só quis limpar a sujeira que fizeram no meu estabelecimento, não posso? Me solta, que para você, que é camarada, eu conto tudo.

Os argumentos não detiveram os movimentos mecânicos de Horácio, que com a arma erguida foi se aproximando do ex-amigo até uma distância impossível de não fazer estrago. O policial proferiu a sentença sem afetação na voz.

— Você foi condenado por matar Aline Vega.

Foram três tiros, a mão firme no gatilho, sem sinal de dúvida. Serviço limpo, de profissional. Baroni olhou para baixo e recusou-se a acreditar que tinha buracos no peito. Seu pulmão contraiu-se de uma vez, como uma bexiga que esvazia de uma vez e o plástico fica todo grudado. Um grito rouco saiu com uma lufada de ar. Aliviaria se pudesse colocar as mãos sobre a dor, mas havia as malditas algemas. Uma contração seca, rígida, e então veio o embotamento dos sentidos que os viciados adoram. Morrer definitivamente não estava nos seus planos para aquela noite.

26. Células

A agitação estava de volta. Nada como um bom linchamento para as pessoas saírem às ruas. No meio da multidão, mulheres seguravam filhos pequenos no colo, donas de casa indignadas deixaram a pia cheia de louça, motobóis faziam uma pausa justificável nas entregas e adolescentes chegavam de ônibus. A figura do assassino se parecia com um deles, com seus tênis gastos, suas calças caídas, suas espinhas e ombros curvados. A opinião pública estava faminta pelos bifes que a mídia lhe jogava. Agora chegara o momento da farta refeição.

Eduardo se limitou a uma declaração sucinta. Afirmou que não foi fácil manter a investigação em sigilo, uma crítica velada às pressões que vinham de fora. A polícia, assegurou, tinha a responsabilidade de dar notícias quando os fatos estivessem averiguados. O secretário de segurança por pouco não descruzou os braços para bater palmas.

Um rosto conhecido da televisão fez mais um discurso do que uma pergunta. Com a câmera nele próprio, se disse estarrecido que o criminoso pudesse ser tão jovem, uma pessoa com ar de indefeso que carregava tanto ódio no coração. O que estaria acontecendo com nossos adolescentes?

Não coube a Eduardo responder. A Civil tinha um especialista, que tomou a palavra e lembrou que à polícia não cabia julgar. Agora correria o processo legal, mas se permitissem uma opinião, não duvidaria que estivessem diante de um caso de psicopatia ou de desajuste. Vivemos em um mundo onde os valores e sentimentos estão em baixa. Terreno fértil para a delinquência e as doenças da alma.

A argumentação gerou um debate entre os presentes, daqueles em que todos falam ao mesmo tempo, quando se aferrar às próprias opiniões é mais importante que a verdade. O delegado não tinha paciência para conversas acadêmicas ou considerações morais. Preferiu então se retirar discretamente. Tinha mais o que fazer. Já na manhã seguinte teria muito trabalho, podia apostar. A cada criminoso que sai de cena, surgem outros dez. Não sabia dizer o porquê, mas era assim. Como num câncer. Se você tirar as células podres de algum órgão elas vão contaminar outros para se alimentar. Seria bem provável que outros assassinos imberbes surgissem. Uma série deles, motivados pelo mestre pioneiro. A corrida por holofotes e adrenalina.

Na saída do auditório o sogro lhe estendeu a mão, mas Eduardo fez questão de apertá-la com frieza. Adélia logo se abraçou ao namorado, apoiando sua atitude. Depois disse-lhe que agora entendia o sumiço repentino na noite anterior. Estava desculpado. "Vamos para casa", ela sussurrou-lhe ao ouvido, "para continuarmos de onde paramos".

Lembranças antigas e recentes se misturavam nos pensamentos de Luisa. Ela gostaria muito de que esses pensamentos encontrassem um ponto de repouso, mas uma sensação vaga de frustração a perseguia. Ideias fixas, pensamentos recorrentes. A dor maior era perceber que carregava aquela sensação havia anos. A angústia era velha companheira; agora só fazia a apresentação formal.

Não podia acreditar que o assassino de Aline Vega não fosse o *seu* assassino. Podia ser a incapacidade de aceitar que não tinha resolvido o caso, mas mesmo essa autoanálise não a convencia. Algo lhe dizia que o assassino errado estava preso. Todo o problema era justificar esse algo.

A equipe que trabalhou no caso Aline Vega teve direito a uma folga. Uns dias para esfriar a cabeça. Luisa optou pela colônia de férias, para fugir um pouco da solidão. Mas depois de conviver por dez minutos com um grupo de gente sem camisa, as barrigas ostensivas, o churrasco como o glorioso prazer semanal, optou mais uma vez em ficar na companhia de si mesma. O lugar pelo menos era bonito; Luisa sentou-se nas margens de um lago pesqueiro, sem ninguém por perto, disposta a apenas fechar os olhos e respirar. A sensação de harmonia não era uma conquista tão fácil; ao contrário, tudo o que conseguiu com seu recolhimento foi descobrir o quanto andava tensa.

A voz do garoto de programa atrás de si pôs fim ao momento meditação.

— Você nunca quis saber de mim, pode confessar.

Tudo na sua postura, nos olhos vermelhos, no tom sussurrado combinavam com o papel de vítima. O garoto veterano era uma sólida estrutura de músculos, mas se magoara como uma donzela com a traição de Luisa. Ele mostrou o *Correio da Noite*, com a foto da equipe da Civil. Não precisava ser muito esperto para entender que tudo se resumira a investigar um suspeito, mas pelo jeito ele ainda acreditava no amor. Por isso, exigia explicações.

Luisa levantou-se rápido e recuou. Explicou o mais tecnicamente que pôde que ele agora não estava mais na mira da polícia. Podia seguir sua vida.

— Eu quero seguir minha vida. Com você.

— Olha só... — Luisa perdeu as palavras. Não sabia se era o momento para um fora ou para voz de prisão. O garoto veterano a fitava com olhos vidrados. Luisa foi mais enfática. — Acho que você confundiu um pouco as coisas. É melhor sumir daqui.

— O que você quer comigo? Eu fiz alguma coisa de errado? Eu juro que nunca matei ninguém. Eu não sou esse tipo de pessoa.

A investigadora insistiu que estava tudo bem, cada um para o seu lado, sem mágoas. Essas coisas. Mas o garoto de programa sentia-se culpado, sem saber direito a razão, e se pôs a pedir perdão. Sua fala jorrava num lamento e vez ou outra escorregava para uma entonação infantil. Luisa começou a afastar-se para chamar alguém, mas seu homem devotado estava realmente a fim de se declarar. Ele conseguiu agarrá-la e sem fazer muita força, arremessá-la contra a grama. Seu corpo compacto impedia qualquer movimento, Luisa sentia o ferro da arma contra suas costas, presa na parte de trás do cinto, mas não conseguia ter mãos para puxá-la. O garoto de programa fez juras de amor verdadeiro — para ele realmente importava que ela acreditasse nos seus sentimentos. Jurou que era um homem mudado, disposto a ter uma existência digna, e, por fim, descreveu as manhãs felizes em que iriam acordar abraçados.

Ela não tinha o direito de negar seus gestos mais puros. Achando tratar-se de um carinho mais atrevido, o garoto de programa rasgou a blusa de Luisa e logo em seguida abriu o zíper da calça. Com apenas uma mão ele conseguia imobilizar as duas de Luisa; sobrava a outra para arrancar-lhe as roupas e provar o quanto a desejava. Luisa ainda conseguiu gritar, antes de tomar um soco que a fez cuspir sangue.

Em meio à tontura ela recordou daquela cena familiar. Outro homem sobre ela dizendo palavras de afeto com atos de violência. "Eles realmente acham que eu estou pedindo por isso?", foi o pensamento que a perturbou. Lembrou da advertência de Horácio, sobre a ameaça permanente. A mesma ameaça que a espreitava desde a adolescência.

Quando o sujeito levantou os quadris, se preparando para fazer o serviço, Luisa conseguiu encontrar o cabo do revólver. Bastava encostá-lo na cabeça do sujeito e pedir delicadamente que controlasse seus impulsos. Dar voz de prisão e imaginá-lo na cadeia, expurgando seus pecados. Talvez não ficasse muito tempo, mas ainda assim tinha que agir com critério, sem "deixar o ódio fazer o serviço", como Horácio aconselhara. Nada pessoal, embora o ódio insistisse em invadir suas células. De qualquer forma, era uma policial; não devia ter pudor de matar pela primeira vez. Seria como perder a virgindade: pode não ser agradável, mas uma hora tem que ser feito. O garoto de programa não estava conseguindo o seu encaixe perfeito, e por isso levantou a mão com a intenção de mais um golpe para aquietar a presa. Sua energia viril foi interrompida com o tiro no estômago, à queima-roupa.

Ele desabou inerte sobre o corpo dela. Apesar do peso da morte, Luisa teve uma sensação de conforto. Por alguns instantes os pensamentos silenciaram.

"Amor da minha vida,
Sei o quanto você deve estar sofrendo, é como se eu sentisse a sua tristeza e solidão. Por isso acho que fomos feitos um para o outro. Existe uma ligação espiritual entre nós, que você também vai sentir assim que nos conhecermos. Me coloque na lista de visitas, por favor. Vou ser para você a mãe que cuida, a esposa que ama, a amante que seduz. Minha vida é outra depois que vi sua fotografia na tevê. Eu te compreendo, só queria que você soubesse disso.
Com paixão, Elisa."

Três Pês terminou de ler a carta com a certeza de que ser normal é o desvio nos dias de hoje. Gabriel conferiu se o papel era mesmo perfumado. A letra redonda e caprichada, tinha sido escrito com caneta colorida, talvez Elisa ainda fosse pura como ele. Antes mesmo de ser encaminhado ao abrigo de menores as primeiras cartas começaram a chegar para ele na DHPP. Não queria mais ser assassino, mas agora a defensoria pública teria de convencer o júri popular.

Três Pês, que levava Gabriel para sua nova moradia, viu que seu amiguinho estava cabisbaixo e resolveu animá-lo. De um jeito cruel, claro.

— Agora, quando você sair não vai ter mais as gostosas do Semelle's lhe esperando. O Baroni sumiu do mapa, campeão. O seu guru lhe deixou na saudade.

O que doía em Gabriel era que o policial estava com a razão. Tinha trocado o recolhimento de menos de um ano, só até completar a maioridade, pela luxúria pelo resto da vida. Pagou caro pelo seu passaporte para a vida de prazeres. Transar com Aline até que tinha sido divertido: a imaginação era capaz de contornar o fato de ela estar morta. Mais pesado foi deixar as marcas do crime. Racionalmente ele sabia que sua adorada não estava sentindo dor alguma com o arame no pescoço e as pancadas pelo corpo. Mesmo assim teve de bater com raiva, e depois que terminou o serviço quase não se reconheceu.

Três Pês lembrou um lado bom da situação. Os pais tinham-no re-encontrado depois de alguns dias sumido de casa. Quando receberam a notícia pareciam até conformados. Nunca tinham acreditado mesmo naquela história de "sair com amigos". Mais provável que o filho esquisito tivesse se metido em confusão.

— Como é levar a vida que você leva? — foi a primeira vez que Gabriel resolveu falar em todo o trajeto. Depois de tudo que vivera, se sentia maduro para uma conversa entre adultos.

— Vida de polícia?

— Como é ter muitas mulheres?

Três Pês sorriu. Para falar a verdade nem sabia como explicar. A fama de pegador fazia todo o serviço. No entanto, achou justo dar uma resposta. O garoto levantava a bola para ele contar de suas conquistas espetaculares. Quando olhou para o moleque derrotado, refreou seu ânimo. Seria injusto contar vantagens que ele não poderia desfrutar tão cedo. Por isso resolveu falar de outra história. Uma que precisava mesmo colocar para fora.

— Naquele dia que você me viu no Semelle's eu tinha ido ajudar uma mulher bem casada, que adora fantasiar que é prostituta. Dessas que ficam tão excitadas com armas e situações perigosas, que até pingam de tão molhadas. Você deve ter reparado. Vestido caro e comportamento de vadia.

Ele fez uma pausa. Até aqui era o Três Pês velho conhecido, o cara que não deixa barato.

— Acontece que aquele lugar estava com a energia carregada. Eu não me ligo nessas coisas, mas não tinha como não perceber. Aquele ritual nada a ver, o careca com aquele papo imbecil, um monte de cara amontoado em cima da menina. Não sei, não. A mulher queria entrar comigo no quarto da Aline, para gente fazer a três. Eu neguei, e sem dar muita explicação fui embora dali. A loiraça me seguiu, reclamando, lógico, dizendo que eu teria que compensá-la na cama do marido. Chegando lá começou aquela baixaria toda. Mordidas, palavrões, uns tapas na cara e tudo o mais.

Gabriel acompanhava atento. Sentiu alívio com o fato de o jogador de vôlei, o único cara realmente atraente da festa, não ter se aproveitado de Aline.

Três Pês interrompeu o relato no clímax, menos por crueldade do que por querer realmente expor seus pontos de vista. Ele jurou que esteve no Semelle's não porque gostasse daquela pornografia ou tivesse alguma coisa a ver com o crime. Seu pecado era o da carne. Bem naquele dia tinha enfiado a cara naquele lixo. Nem conseguiu curtir a aventura com sua adúltera obediente. Ficou o tempo todo enojado pela vergonha que Aline passara, no meio daquela gente ordinária. Na manhã seguinte recebeu um chamado logo cedo que o poupou de longas despedidas da mulher que dormia ao seu lado. Quando chegou no lugar, encontrou Aline morta. Podia ter evitado, se no Semelle's tivesse dado tiros para cima e prendido todo mundo por uma razão qualquer. Atentado ao pudor, que fosse.

Nos outros dias achou que ia sujar para ele se avisasse que fizera parte da noite do crime. Para que arrumar pra cabeça? Aquilo não mudava nada. Além do mais, estava convicto da sua inocência. Só mudou de ideia quando viu que a investigação entrou em parafuso. Seu chefe tinha sido afastado, ele achou injusto. A partir daí resolveu dar o serviço, e se colocou à disposição do delegado no que precisasse.

— Por isso eu libertei você. O Eduardo tinha certeza que você não tinha para onde correr. Você acabou sendo a bússola que apontou para o crime.

— E a história?

— Que história?

— Com a mulher. Como é que terminou?

— Ah, eu... acabou não dando certo. A primeira vez que isso me aconteceu, e eu juro que não é conversa. Quando a gente fica ansioso as células travam, eu li em algum lugar. Falta munição.

Depois de tantos dias, Gabriel pela primeira vez sentiu vontade de rir. Tentou se conter, o outro era autoridade, mas não conseguiu evitar um sorriso idiota. Três Pês virou-se para ele; primeiro irritado, depois descontraiu. Pelo menos tinha jogado limpo com alguém que não ia lhe julgar. Ele estacionou o carro para acompanhar o menor até a porta do abrigo. Antes de descer, concluiu:

— Tem noite que dá tudo errado.

Era tarde da noite, a ex-mulher tinha avisado que prepararia o frango grelhado que ele gosta, mas mesmo com a tentação Horácio acompanhou o expediente no *Correio da Noite* até o fim. Demonstrou curiosidade para ver como se faz um jornal — o papel virgem entrando por um lado, passando por umas roldanas e saindo cheio de letras do outro lado. A verdade, contudo, é que Horácio assumiu o papel de fiscal e quis checar pessoalmente as notícias do dia. O investigador duvidava que o repórter iria quebrar o acordo, mas seu novo amigo era um homem atormentado e volúvel. Garantia nunca era demais.

Horácio pegou um exemplar da pilha, ainda soltando tinta. Estava pronta a reportagem final. Havia sido dispensada a tarja preta sobre os olhos do jovem Gabriel, mas o que era esta pequena ilegalidade diante do crime do retratado? O repórter observou por uns instantes a sua obra de arte.

— É o fim de mais uma história. Agora, próxima pauta. Vamos?

— Calma, estou procurando meu nome.

O nome de Horácio Pereira constava na matéria, mas sem grandes destaques. O mérito tinha ficado com Eduardo. Mais uma vez.

— Eu podia achar que você não é vaidoso — disse o repórter.

— Se não soubesse que a maneira como você desvendou o crime é impublicável.

Horácio dobrou o jornal e o colocou debaixo do braço. Saíram para a rua. O repórter abaixou o portão da gráfica até o chão — o som do enferrujado portão de ferro que diariamente perturbava a idosa da casa ao lado — e passou o cadeado. O policial se protegeu com o sobretudo surrado da garoa fina paulistana.

Uma pena que não podia se vangloriar do seu feito. Um desvendar de crime digno dos feitos de grandes artistas, esportistas, visionários. O veterano policial que andava em dívida com a torcida era obrigado a vangloriar-se de uma glória silenciosa. O repórter que caminhava taciturno a seu lado era seu único espectador. Já que era assim, tinha direito a importuná-lo com seu feito mais uma vez.

— Sabe de uma coisa? Desde o começo aquele cadáver estava querendo me dizer alguma coisa. Deve ter sido uma morte feliz.

— Está brincando comigo?

— Só uma pessoa com muito amor no coração seria capaz de matar a moça.

O repórter refletiu sobre a afirmação. Não demorou a decidir que seu interlocutor estava certo.

— O sorriso da morte — continuou Horácio —, é lá que estava o segredo.

Para as pessoas comuns, imersas no dia-a-dia, crimes violentos são coisas extraordinárias. Desumanas ou, de outra perspectiva, sobre-humanas. Mas para quem a violência é tão parte da rotina quanto amarrar os sapatos, imaginar as motivações mais insondáveis torna-se parte das células. Uma função vital. Quando Horácio associou o sorriso de Aline morta com a expressão dela na festa macabra do Semelle's enxergou ali um padrão. Ninguém atravessa uma noite degradante com sorrisos. A estrela decaída Aline Vega tinha virado um simples bibelô erótico, antes de ser praticamente violentada em sequência por vários desconhecidos. Ainda que o sorriso fosse um reflexo condicionado, uma máscara grudada ao rosto, não era possível o fingimento se estender na hora da morte. Horácio percebera no sorriso da morte alguma emoção delicada; indo mais longe, até um prazer.

Com isso em mãos, o investigador fiou-se na velha máxima: tudo que você precisa é uma história que tenha sentido e alguém para confirmá-la. Parece fácil, mas na maior parte das vezes o policial não tem uma coisa nem outra. As capas do *Correio da Noite* contavam uma história em capítulos, como num folhetim. Se havia um cachorro rosnando, havia uma ameaça. O repórter usava seu jornal para contar o que presenciou na noite do crime, e havia algum motivo suficientemente forte que o impedia de cravar o nome do assassino em letras garrafais.

Para saber montar esse tipo de quebra-cabeça é que Horácio insiste no departamento sobre a necessidade de andar com criminosos. Não se compreende a insanidade sem travar intimidade com ela. Ainda assim, não seria dessa vez que iria provar sua tese.

Horácio procurou em cada trecho das reportagens o lugar onde o repórter ocultava a identidade do criminoso. Um recado para Baroni, uma tentativa de apontar o dedo acusatório e mostrar quem era o dono da bola. Na poesia barata do *Correio da Noite*, Aline Vega precisava de "alguém que a protegesse". Era a essa tarefa que o repórter andava se dedicando: denunciar o manancial de sujeira que Baroni cultivara ao redor da garota. Uma forma de proteção, ainda que póstuma. Um cuidado com a menina que fora a vida toda tratada como um objeto de sedução, até pela família.

Quando cada negociante tem um produto de valor para vender não é difícil chegar a um acordo. O repórter se comprometeu a não enlamear a imagem do investigador Horácio Pereira. Embora não tivesse mais imagem a zelar, as difamações seriam injustas. Sobravam controvérsias em seu passado e em seu presente, suas escolhas eram discutíveis, suas companhias as piores possíveis. Ainda assim Horácio gritaria até onde pudesse se defender: no fundo do lodo, se seus acusadores conseguissem esquecer o bem e o mal por um instante, encontrariam as mais nobres intenções. Horácio não tolerava a hipótese de que a ex-mulher e o filho pensassem coisas erradas a seu respeito. O que tinha que dar em troca? Matar Baroni, esse sim verdadeiramente culpado diante de qualquer tribunal que se apresentasse. Seria até uma boa ação, como dedetizar o porão de casa para não atrair ratos para a vizinhança.

Quanto à pessoa que executou a ação que tirou a vida de Aline Vega, o julgamento não era tão simples como as pessoas gostariam que fosse.

— Como foi matar o Baroni? — perguntou o repórter, interrompendo a onda de pensamentos que tomava conta de ambos.

— Você quer trocar figurinhas?

— Quem sabe. Para o meu romance. Voltei a escrever. A inspiração é uma mulher insensata que no fim volta aos nossos braços.

— Então faça o favor de inventar um tipo charmoso e implacável para mim. Nós temos um acordo, lembra?

— Claro que lembro. Perdi a vontade de passar para o lado de lá.

— Qual lado de lá?

— O lado dos que morrem.

— Nem para encontrar sua alma gêmea?

— Não acredito nessas coisas.

— No quê? Que a Aline Vega pode estar no céu te esperando? Ela deve ficar bonita vestida de anjo, com uma cinta-liga de seda branca.

— Não acredito em alma gêmea.

— Ceticismo depois de tudo? Encare tudo que passamos como uma experiência de vida.

— Uma experiência de morte, você quer dizer.

— Pode ser. No fim das contas a vida é sexo e violência.

O repórter estava disposto a não mais lembrar do que vivera naquela noite no Semelle's. Bastava força de vontade. Tudo que precisava era que os olhos de medo e ternura de Aline parassem de fitá-lo.

Naquele quarto em que se re-encontraram, Aline e o repórter sabiam, o tempo todo, que deveriam intensificar a dor até anestesiá-la.

27. Amor

Eram os mesmos olhos de encanto de quando tinham se conhecido, havia cinco anos. As lembranças esquecidas nunca se esquecem de verdade; elas estão sempre lá, podem aflorar de novo ou nunca mais.

A sensação de encontrar em Aline algo familiar provocou no repórter algo parecido com uma euforia. Instantes antes, ao empurrar com cuidado a porta do quarto, a visão tinha sido desoladora. Era verdade que por muitos anos tinha esperado receber notícias ruins sobre ela, na esperança de que encontrá-la reduzida a nada pudesse ser o seu bálsamo. Amores não são sempre sonhos dourados; na maioria das vezes eles têm aspecto cinzento e viscoso.

Com o tempo, no entanto, o sofrimento tinha se tornado mais e mais agudo para o repórter, mesmo sabendo das frustrações profissionais de Aline e do enlace desfeito com o marido do Mercedes — o homem que ela escolhera para cumprir sua vocação matrimonial. A corda que fora jogada a ela a tempo de ser resgatada do poço, à qual Aline se agarrou com fé para garantir pelo menos um cotidiano caseiro e confortável. Para isso ela não hesitara em derramar pelo ralo as ambições incertas da paixão. Quando Aline aceitou se encontrar com o repórter para um café nas imediações da Augusta, depois de insistentes telefonemas não atendidos, ela anunciou fria e prática que a história deles acabara. Ela tinha recebido uma proposta, talvez mudasse até de cidade com o empresário que conhecera. O silêncio pesou sobre eles, justo eles que tinham prazer em trocar impressões sobre a vida. Aline viu que não havia mais nada a dizer e saiu sem terminar o *capuccino*. Nunca mais se viram até a festa no Semelle's.

O repórter dedicou um tempo de sua vida a pensar injúrias, depois passou quase a dormir no *Correio da Noite*, mergulhado no seu pequeno mundo de barbaridades e infâmias. Notícias de paixões criminosas alimentavam seu espírito. Com o tempo e de forma muito gradual o repórter convenceu-se de ter superado o passado, embora ainda pensasse em Aline Vega todos os dias.

Na cama do quarto da boate de luxo, ele re-encontrou a mulher vulnerável que mais desejara na vida. A primeira impressão foi de ilusão sendo rompida a golpes de enxada. Ele era talvez o vigésimo homem que invadia aquele quarto só naquela noite. Aline tinha uma expressão de esgotamento, ao seu lado uma gaveta aberta abarrotada de dinheiro.

— Essa cama aqui — foi a primeira coisa que ela disse sem baixar seus olhos atentos — tem uns desenhos de anjo ali na cabeceira. Dá uma olhada.

O repórter se aproximou. Eram anjos gordinhos, nus e sorridentes. Aline contou que na cama que dormia quando criança havia uns desenhos parecidos. Ela rezava para os anjinhos gordos para proteger a família. Uma noite o pai a chamou para brincar. Ela largou rápido os fones de ouvido e desceu o lance de escadas — o pai quase nunca brincava com ela. O pai estava dentro da banheira, com as mãos presas. Ele pediu que a filha querida apertasse os nós, porque naquele jogo ele não podia se soltar de jeito nenhum. A brincadeira ia se chamar mergulho. Aline gostou da ideia, estava mesmo querendo se divertir. Ela puxou o barbante com toda a força, nas mãos e nos pés, fazendo tudo direitinho. Depois perguntou ao pai como a brincadeira continuava. O pai estava diferente, normalmente ele chegava em casa e se trancava no escritório. A menina achou que eram os anjinhos em ação. O pai pediu que ela abrisse a torneira da banheira. Estava com as mãos presas, não podia fazer isso sozinho. E depois? Depois ela tinha que ir para o quarto e ficar lá bem quietinha que ele iria em seguida, para a segunda parte do jogo. Aline achou sem graça, e por isso depois de abrir a torneira ainda ficou mais tempo no banheiro. Leopoldo repetiu três ou quatro vezes que "papai vai ficar bem". A menina dançava debaixo do vapor da água para ver a fumaça se mexer. Depois escreveu o nome da brincadeira no espelho e saiu. O pai estava quieto, tinha desistido de brincar.

Aline terminou de contar a história e logo se ajeitou na cama, deixando o lençol escorregar por seu corpo. Ela continuava previsível, pensou o repórter. Depois de um quase momento de dor, uma demonstração de força e a capacidade de encarar a vida pelo lado positivo. O repórter conseguiu realizar um desejo das suas noites de solidão e saudade: ver de novo a nudez gloriosa de Aline. Bateu uma foto com o celular, para eternizar o instante. Na hora da festa, ele a flagrara com seu véu negro de noiva que segue para o altar onde coisas ruins a esperam. Foi o momento em que seus olhares se cruzaram e Aline o reconheceu. Um passado que trazia um sopro de bons momentos, bem ali no momento insólito.

Aline começou a fazer aquele tipo de pergunta que na sua boca soava melhor que em qualquer outra. Como vai a vida? Que tem para me contar depois desses anos todos? E o seu romance, está pronto? A diferença para as conversas inúteis que começam apenas porque as pessoas se constrangem em ficar caladas na frente de outras é que Aline realmente se interessava. A expressão dos olhos, as interjeições, os comentários pertinentes estimulavam o interlocutor a oferecer o melhor de si mesmo. Ela sabia como envolver.

Aline e o repórter conversaram sem se importar com o que acontecia do lado de fora. Naquela altura, a ressaca pós-êxtase tomava conta da festa, e os convidados voltavam a se perguntar sobre o sentido de suas vidas. Ninguém mais prestava atenção em nada a não ser na sua própria miséria.

Mesmo imersos nessas circunstâncias, o repórter e Aline encontraram seus bons sentimentos. O afeto entre eles continuava inviolado. Ela perguntou, preocupada com a resposta, se ele tinha ficado com muita raiva dela. Sumir de uma hora para outra, a rispidez cruel, mas necessária na separação. Você precisava seguir sua vida, justificou. Ele assumiu o ódio, que já naquele momento se desmanchava por completo. Teriam sido felizes juntos, talvez.

— Aposto que você quis me matar.
— Eu não tinha um motivo justo para te matar.
— Tinha. Esquecer de mim.
— Não ia adiantar.
— Então... saber que eu nunca mais iria me deitar com outro homem.

Ele pensou nisso, na época. Todos os seus pensamentos antes de se levantar — por um tempo foi penoso saltar da cama — começavam por imaginá-la deitada ao seu lado, abraçando-o por trás com o hálito no seu pescoço, e terminavam em imagens vívidas em que sua paixão passeava rica e feliz com o marido pela orla marítima de uma praia paradisíaca, antes de se recolherem ao hotel para um sexo envolvente.

— Você ainda sofre quando beija? — ele perguntou afastando esses pensamentos antigos.

Ela riu. Era uma brincadeira deles. O repórter dizia que Aline parecia vivenciar uma dor sentida na hora do beijo, seu rosto se contraía, ao mesmo tempo em que perdia o fôlego como se fosse o último beijo que ia dar na vida.

Aline se excitava facilmente, e aquela conversa a deixou mais à vontade. O repórter hesitava em dividir a cama com ela. Aquele quarto, aquele lugar, parecia tudo bastante sujo. Ela teria tido prazer com os caras que entraram antes?

— Você quer fazer alguma coisa por mim? — ela perguntou escancarando as pernas. — Quer me deixar feliz?

A tristeza de Aline tinha algo de insuportável para ele. Passou pela cabeça do repórter uma ideia remota de se fundir para sempre com ela. Teria sido assim se tivessem feito um filho. Uma ligação eterna, era o que precisavam.

Durante os primeiros movimentos ele se perguntou como ela poderia estar tão molhada depois de tanta humilhação. Ela se contorcia embaixo do seu corpo, a indecifrável expressão de dor e prazer que ele gostaria que fosse exclusiva. Os gemidos, todos dele outra vez.

Aline pegou nas mãos dele, primeiro num afago. Depois as fez passearem pelos seios, apertarem. Mãos na nuca, segurando forte a raiz dos cabelos, como quem vai machucar.

A garota fez tudo parar por um instante. O repórter nunca conheceu nada mais erótico que seu olhar incisivo e aterrorizante. Ela colocou as mãos dele no pescoço, uma de cada lado, com o pedido doce para que ele apertasse, primeiro bem de leve. Eles recomeçaram a dança suave, como se acompanhassem um solo de violino. Ela tomava as iniciativas. Logo foi pedindo mais e mais força. Sua voz era uma cobrança, um grito que ia ficando sufocado à medida que as mãos dele se enrijeciam. As veias do rosto de Aline saltaram; a falta de sangue intensificava a excitação até um prazer extremo qualquer. Quando as mãos dele hesitavam, ela implorava sôfrega para que ele não negasse o gesto de amor.

A euforia de ambos agora criava movimentos descompassados e ríspidos. Quando fazia amor com Aline, ele se esquecia de tudo. Ela dizia coisas bonitas com palavras despudoradas — de vez em quando sua voz saía em falsete, o ar comprimido na garganta. As veias pulsavam inchadas para suportar a pressão. Aline gostava de anunciar seu orgasmo, era algo nela que o encantava e o tornava poderoso por preciosos instantes. E assim ela gemeu — um som diferente, um ruído primal como de um bicho — e ele sentiu a traqueia se rompendo em suas mãos.

Desfaleceram juntos. Ele quase sem ar, nunca imaginou que o sexo pudesse chegar tão longe. Tinha vivido cinco anos tentando apagar vestígios daquele prazer da sua pele.

O repórter saiu de dentro de Aline com cuidado. Com aquela vibração podiam ter feito o filho, que seria uma espécie de super-homem.

Ao deitar-se de lado, a imagem que contemplou poderia ser assustadora. Mas, bem ao contrário, exalava uma sensação de paz e quietude. Aline tinha os olhos fixos no vazio, no rosto um sorriso, seu corpo todo entregue ao êxtase supremo da morte.

28. Assassinos

O repórter e Horácio chegaram a uma esquina. Hora do aperto de mão de despedida.

— No fim de tudo eu, que executei a ação, vou sair impune.

— Você só fez o que ela pediu. Na verdade você foi o salvador dessa menina. Arrisco dizer que você foi o único que realmente a amou.

— Alguma dor na consciência por ter executado o Baroni?

— O mundo vai ficar melhor sem ele. Não pense que você me enganou em algum momento. Eu sempre acreditei que ele realmente é o assassino. Sem a humilhação que o Baroni causou na menina ela nunca teria pedido para morrer.

— Entendo, vou ficar com essa versão também. Mas ainda ficamos com uma peça que não encaixa. E quanto ao garoto?

— Bom, você sabe tanto quanto eu, as pessoas precisam de um assassino.

9 MM — São Paulo

Este é o primeiro livro da Coleção "9mm: São Paulo", um projeto sobre o universo da Polícia Civil de São Paulo.

O livro é inspirado na série de televisão realizada pela FOX e produzida pela Moonshot Pictures, que teve quatro episódios exibidos em 2008 e foi vencedora do Prêmio APCA de Melhor Série da Televisão Brasileira de 2008. Norival Rizzo, que interpreta o personagem Horácio, recebeu o "Prêmio Quem" de melhor ator de televisão, por sua atuação na série.

Nove episódios inéditos vão ao ar em 2009, completando os 13 capítulos da primeira temporada. E, no momento, estão em elaboração os roteiros da segunda temporada que será lançada em 2010.

Mais sobre a série no site www.mundofox.com.br/9mm. Ali você pode assistir aos episódios completos e websódios desenvolvidos exclusivamente para a Internet. Pode também participar de comunidades e debater o seriado.

"9mm: São Paulo — A Verdade sobre a Polícia"

Uma série da FOX Latino American Channels **Produção:** Moonshot Pictures **Ideia Original:** Carlos Amorim **Criada por:** Carlos Amorim, Newton Cannito, Roberto d'Avila **Direção Geral:** Michael Ruman **Produção:** Roberto d'Avila **Roteirista chefe:** Newton Cannito **Produção Executiva:** Suraia Leinkaitis **Elenco Principal:** Norival Rizzo, Luciano Quirino, Marcos Cesana, Clarissa Kiste e Nicolas Trevijano

APRESENTACÃO DA FICS

"O sucesso sempre foi a criação da ousadia"
Voltaire (1694-1778)

A FICs – Fábrica de Idéias Cinemáticas – é uma agência de conteúdo, uma empresa especializada na criação de universos narrativos que possibilitam uma atuação multiplataforma.

Os projetos e conteúdos que elaboramos têm atuação simultânea em diversas linguagens artísticas (cinema, televisão, Internet, telefonia, teatro, livro etc.). Atuamos de forma que as obras específicas de cada mídia dialogam entre si e se fortalecem mutuamente, sendo porém originais e distintas entre si e autênticas no seu meio.

Nosso processo de realização se desenvolve em duas etapas: criação do universo e desenvolvimento das histórias; e construção e posicionamento da marca da obra, com sua consequente atuação em várias mídias.

Acreditando que o trabalho coletivo pode fortalecer a autoria, a FICs atua na formação de equipes criativas que tenham os talentos adequados para cada empreitada.

Entre outros projetos, a FICs desenvolveu o universo e os roteiros do seriado "9mm São Paulo", seriado da FOX América Latina, com produção da Moonshot Pictures. Além dos roteiros para a série, a empresa também desenvolve outros produtos associados à marca "9mm", como "websódios" (episódios exclusivos para Internet), "mobsódios" (episódios para telefones celulares) e uma coleção de livros.

Outro projeto multiplataforma da FICs é o Confissões de Acompanhantes. O projeto já lançou uma série de vídeos documentários que foi um sucesso no TV Terra, um livro *Confissões de*

Acompanhantes, (Sá Editora/FICs); e um espetáculo de *stand up comedy*. E em breve lançaremos uma série de ficção. (ideiascinematicas.com.br/confissoes).

A FICs também atua em consultoria para elaboração de filmes e séries. Entre outros projetos, atualmente damos consultoria para o edital FICTV, prêmio promovido pelo Ministério da Cultura para a produção de séries de televisão (fictv.cultura.gov.br). Concebemos o modelo geral da apresentação de propostas e o formulário de formatação dos projetos, levando para um edital público o método que desenvolvemos em nossos próprios projetos. Em seguida fazemos a supervisão artística, fornecendo aos realizadores consultoria no desenvolvimento dos roteiros e a realização das séries.

Mais sobre a FICs no *site* www.ideiascinematicas.com.br.

Newton Cannito
Roberto d'Avila
Diretores da FICs

Este livro usa a fonte tipográfica Fairfield 12/16
sobre papel Polen Bold 90 m/g²